流星·蝴蝶·剑（下）

古 龙 著

河南文艺出版社
·郑州·

古龙

1938—1985

作为华语小说界一代宗师，“古龙”二字本身已成为一个文化符号。

古龙以惊人的才华，创作出《小李飞刀》《陆小凤》《楚留香》等七十多部精彩绝伦的经典。这些作品中涌动着永恒的热血、自由和生命力，不仅征服了一代代读者，更引发了巨大的文化浪潮，被无数次改编为影视、游戏、动漫，风靡整个中文世界，半个世纪风行不衰。

古龙为人，像他笔下的英雄们一样，豪气干云、放浪形骸、嗜酒如命、风流倜傥。其传奇一生的尽头，在医生下达严禁饮酒的告诫之后，豪饮三天三夜，大醉归西。

古龙是孤独的，一颗滚烫狂放的自由灵魂，与冷漠的现实世界显得那么格格不入；古龙又是幸运的，无数读者通过他的作品与他成为了知己。

中文世界如果没有古龙，将多么寂寞！没有读过古龙的人生，将多么寂寞！

目 录

第十五章

以身相代

孟星魂道："这么说来，现在老伯的朋友好像已没有朋友了。"

律香川淡淡道："你现在是不是已觉得这一注押错了？"

孟星魂笑了笑，道："问题并不在朋友多少，只在那朋友是否真的是朋友。"

他目光却注视着远方，慢慢地接着道："有些朋友多一个却不如少一个好。"

他看着远处一座小桥，陆漫天往桥上走过。

律香川没有看到。

这时是午时三刻，距离黄昏已不远了。

午后某时某刻。

一片乌云掩住天色，天阴了下来。

风也更冷了。

一个青衣人拉起衣襟，压低帽檐，低着头，匆匆走过小桥，小桥尽头的竹林里，有三间明轩。

窗子是开着的，陆漫天正坐在窗口，手里提支笔，却没有写什么，只是对着窗子发愣。

灰衣人没有敲门就走进去，窗子立刻落下。

窗子落下后灰衣人才将头抬起，露出一张平凡朴实的脸。

只看这张脸，没有人能看得出他是叛徒。

所以没有人会想到冯浩是叛徒，陆漫天回头面对着他，道："一切都已照计划安排好了，他已决定今天黄昏时动手。"

冯浩面上虽露出满意之色，却还是追问了一句："你看他会不会临时改变主意？”

陆漫天道：“绝不会，高老大的命令他从不敢违抗，何况……”他嘴角泛起一丝恶毒的笑意，缓缓接着道：“他也没有这么聪明。”

冯浩又笑了，道：“不错，这计划的重点他当然想不到，无论谁都不会想到的。”

午后某时某刻。

天色阴沉，花园中异常平静。

孟星魂和律香川准备回去。

他们已走过很多地方，几乎将这花园每个角落都走遍。

走过之后，孟星魂才发现自己什么也没有看到。

他看到很多花、很多树，但他能看到的只不过是这些，对这里所有的一切他还是和没有看见时完全一样一无所知。

他还是不知道这里究竟有多少人，暗卡是如何分布的，卡上的人什么时候换班，老伯究竟有多大势力。

陆漫天至少有一句话没有说错！

“老伯绝不会给任何人杀他的机会。”

若不是陆漫天出卖了老伯，孟星魂也许真的没机会杀他。

没有人能揣测老伯的实力，也没有人猜到他的想法。

孟星魂心里忽然有种奇怪的想法。

他不知道自己若是做了老伯的朋友，情况是不是比现在愉快得多？

老伯虽然可怕却不可恶，也不可恨，有时甚至可以说是个很可爱的人，世上有很多人都比他更可恨，比他更可恶。

至少陆漫天就是其中之一，这人简直可杀。

孟星魂忽然发觉自己要杀的若是陆漫天，情况一定比现在愉快得多。

花园中实在很静，四下看不见人，也听不见声音。

这地方的确就像个坟墓，也不知埋葬了多少人的生命。

园外隐隐有铃声传来。

铃声单调嘶哑，极有规律。

律香川忽然停下脚步凝神倾听。

他刚开始听了没多久，老伯就已自花丛后转出来，道：“你听出了什么？”

律香川道：“外面有个卖药的人在摇铃。”

老伯道：“还听出什么？”

律香川道：“他摇的是个已用了很久、上面已有裂痕的铜串铃。”

老伯道：“还有呢？”

律香川道：“他距离这里还有二三十丈。”

老伯道：“你去叫他进来。”

律香川道：“是。”

老伯道：“他若不肯来，你就杀了他！”

他声音冷淡而平静，就像吩咐别人去做一件很平常的事。

律香川也没有再问，就转身走了出去。

他从不问“为什么”，也不问这种做法是错是对。

他只知执行老伯的命令。

孟星魂目中却不禁露出惊异之色，他发觉人命在这里似已变得贱如野狗。

老伯目光移向他，似已看透他的心，忽然道：“你是不是在奇怪我为什么要他这样做？”

孟星魂点点头。

在老伯的面前，你最好还是莫要隐瞒自己的心事。

老伯道：“他刚才已听出了很多事，这在一般人说来已很难得。”

孟星魂道：“的确很难得。”

老伯道：“但他还有很多事没能听得出来，你呢？”

孟星魂笑了笑，道：“我还不如他。”

老伯盯着他，过了很久，才缓缓道：“那卖药的人一定武功不弱。”

孟星魂忍不住问道：“为什么？”

老伯道：“因为他要走一段很长的路才能到这里，但他的手还是很稳。”

那铃声的确稳定而有规律。

孟星魂道：“普通的卖药人，也决不会走到这种荒僻的地方来。”

老伯道：“这还不是最重要的一点。”

孟星魂道：“不是？”

老伯道："他也许是因为迷了路，也许是想到这里来碰运气。"

他笑了笑，接着道："江湖中有很多人都知道孙玉伯一向都很喜欢交朋友。"

孟星魂沉吟着，道："但这卖药的人却不是为此而来的？"

老伯道："绝不是，他摇铃摇得太专心，而且铃声中仿佛有杀机。"

孟星魂动容道："杀机？"

老伯道："一个人心里若想杀人时，无论做什么都会露出杀机，那只摇铃的手上有杀机！"

园外铃声已停止。

孟星魂只觉老伯的目光锐利如尖刀，似已刺入他心里。老伯难道已看出了他的杀机？

没有。

因为他并不是真的自己要杀老伯，他心中并没有愤怒和仇恨。

杀机往往是随着愤怒而来的。

孟星魂的心里很平静，所以脸色也很平静。

老伯又笑了笑，道："这种事你现在当然还听不出来，但再过几年，等到有很多人要杀你，你随时随地都可能被杀时，你也会听出来的。"

他笑容中有苦涩之感，慢慢地接着道："要听出这种事不止要用你的耳朵，还要用你的经验。只有从危险和痛苦中得来的经验，才是真正可贵的。"

这种经验就是教训，不但可以使人变得更聪明，也可以使人活得长些。

孟星魂望着老伯面上被痛苦经验刻画出的痕迹，心中不觉涌起一种尊敬之意，忍不住道："这些话我永远都会记得的。"

老伯的笑容逐渐温暖开朗，微笑着道："我一直将律香川当作自己的儿子一样，我希望你也是一样。"

孟星魂低下头，几乎不敢仰视。

他忽觉得站在自己面前的，是个高不可攀的巨人。而他自己却已变得没有三尺高。

他忽然觉得自己龌龊而卑鄙。

就在这时，律香川已走回来，一个穿着灰衫的人跟在他身后，身后背着药箱，手里提着串铃。

孟星魂全身的肌肉忽然抽紧。

他永远没有想到这卖野药的郎中竟是叶翔。

最近已很少有人能看到叶翔，现在他却很清醒。

他清醒而镇定，看到孟星魂时，目光既没有回避，也没有任何表情。

他就像从未见过孟星魂这个人。

孟星魂却要等很久才能使自己放松下来，他第一次真正觉得自己的确有很多事不如叶翔。

他更想不出叶翔是为什么来的。

老伯显然也不能确定，所以微笑着道："你来得正好，我们这里正需要一位郎中先生。"

叶翔也在微笑着，道："这里有病人？"

老伯道："没有病人，只有受伤的人，还有些死人。"

叶翔道："死人我治不了。"

老伯道："受伤的人呢？想必你总会有治伤药！"

叶翔道："不会。"

老伯道："你会治什么病？"

叶翔道："我什么病都不会治。"

老伯道："那么你卖的是什么药？"

叶翔道："我也不卖药，这药箱里只有一罐酒和一把刀。"

他面上全无表情，淡淡地接着道："我不会治人的病，只会要人的命。"

这句话一说出来，孟星魂的一颗心几乎跳出嗓子。

老伯却反而笑道："原来你是杀人的，那好极了，我们这里有很多人好杀，却不知你要杀的是哪一个？"

叶翔道："我也不是来杀人的。"

老伯道："不是？"

叶翔道："我若要来杀人，当然就要杀你，但我却不想杀你。"

老伯道："哦？"

叶翔道："我杀人虽然从不选择，只要条件合适，无论什么人，我都杀，但你却是例外。"

老伯道："为什么？"

他脸上一直保持微笑，好像听得很有趣。

叶翔道："我不杀你，因为我知道我根本不能杀你，根本杀不死你。"

他淡淡地一笑，接着道："世上所有活着的人，也许没有一个人能杀死你。想来杀你的人一定是疯子，我不是疯子。"

老伯大笑道："你虽不是疯子，但却未免将我估计得太高了。"

叶翔道："我不估计，因为我知道。"

老伯道："只要是活着的人就有可能被别人杀死，我也是人，是个活人。"

叶翔道："你当然也有被人杀死的一天，但那一天还没有到。"

老伯道："什么时候才到？"

叶翔道："等到你老的时候！"

老伯笑道："我现在还不够老？"

叶翔道："你现在还不算老，因为你还没有变得很迟钝、很顽固，还没有变得像别的老头子那样颟顸小气。"

他冷冷地接着道："但你迟早也有那一天的，每个人都有那一天的。"

老伯又大笑，但目中已掠过一阵阴影，道："你既非来杀人的，那是为什么来的呢？"

叶翔沉吟着，道："你要我说真话？"

老伯微笑道："最好连一个字都不要假。"

叶翔又沉吟了半晌，终于道："我是来找你女儿的。"

老伯脸色忽然变了，厉声说道："我没有女儿呀！"

叶翔道："那么就算我是来找别人好了，我找的那人叫孙蝶。"

老伯道："我不认识她。"

叶翔道："我知道你已不承认她是你女儿，所以我来带她走！"

老伯道："带她走？"

叶翔道："你不要她，我要她！"

老伯厉声道："你想带她到哪里去？"

叶翔道："你既已不要她，又何必管我带她到哪里去？"

老伯锐利清澈的眼睛突然发红，鬓边头发一根根竖起。

但他还在勉强控制着自己，盯着叶翔看很久，一字字道："我好像见过你。”

叶翔道：“你的确见过我。”

老伯道：“几年前我就见过你，而且……”

叶翔道：“而且还曾经叫韩棠赶我走，赶到一个永远回不来的地方。”

老伯道：“你还没有死？”

叶翔只笑笑。他还没有开口，老伯突然扑过来，揪住他的衣襟，将他整个人都提了起来，厉声道：“小蝶那孩子是不是你的——”

叶翔不开口。

老伯怒道：“你说不说……说不说？”他拼命摇着叶翔，似乎想将叶翔全身骨头都摇散。

叶翔脸上还是全无表情，淡淡道：“我衣服被人抓着的时候，从不喜欢说话。”

老伯怒目瞪着，他眼珠都似已凸出，额上青筋一根根暴起。

律香川似已吓呆了，他从未见到老伯如此盛怒，从来想不到老伯也有不能控制自己的时候。

孟星魂也吓呆了。一听到“孙蝶”这名字的时候，他就已吓呆了。

他做梦也未想到，他要来杀的人，竟是叶翔心上人的父亲。

但他却已知道叶翔的来意。叶翔就是来告诉他这件事的，免得他做出永远无法弥补的大错。

叶翔冒着生命的危险来告诉他这件事，不仅是为了孟星魂，也是为了小蝶——原来他唯一真正爱过的人就是小蝶。他不惜为她而死！

“为什么……为什么？”

“难道小蝶那孩子的父亲，真的就是叶翔？”孟星魂只觉天旋地转，整个世界都似在他面前崩溃。

他整个人似乎也已崩溃，几乎已支持不住，几乎已将倒了下去！

老伯站在叶翔面前发抖，全身都已发抖。

他终于松开手，双拳却握得更紧，道：“好，现在你说，那孩子是不是你的？”

叶翔道：“不是。”

他长长叹息一声，接着道：“但我却希望是的，我宁愿牺牲一切，去做那孩子的父亲。”

老伯咬着牙嘶声道："那畜生，那野种……"

叶翔道："你为什么要恨那孩子？孩子并没有错，他已没有父亲，已够可怜，做祖父的就该分外疼他才是。"

老伯道："谁是他祖父？"

叶翔道："你，你是他祖父。"

他也提高声音，大声道："你想不承认也不行，因为他是你血中的血、肉中的肉。"

他的话没有说完，老伯已扑过来，挥拳痛击他的脸。

他没有闪避，因为根本无法闪避。

老伯的拳灵如闪电、如蛇信，却比闪电更快，比蛇信更毒。

叶翔根本没有看到他的拳头，只觉眼前一黑，宛如天崩地裂。

他并没有晕过去，因为老伯另一只拳头已击上他的下腹。

痛苦使他清醒，清醒得无法忍受。

他身子一曲，倒下，双手护住小腹，弯曲着在地上痉挛呕吐。

鲜血和胆汁酸水一齐吐出来，他只觉满嘴又腥又酸又苦。

孟星魂整个人都似已将裂成碎片。

他受不了，不能忍受。

他几乎已忍不住要不顾一切出手。

但他必须看着，忍受着，否则他也得死！

那么叶翔为他牺牲的一切，就也变得全无代价，死也无法瞑目。

他更不忍这样做。

叶翔还在不停地痉挛和呕吐，老伯的拳头就像世上最毒的毒刑，令他尝到重大的痛苦。

老伯看着他，怒气已发泄，似已渐渐平静，只是在轻轻喘息着。

突然间，牵机般抽缩着的叶翔又跃起。

他手里的串铃突然暴射出十余点寒星，比流星更迅急的寒星。

他的右手已抽出一柄短剑，身子与剑似已化为一体。

剑光如飞虹，在寒星中飞出，比寒星更急。

寒星与飞虹似已将老伯所有的去路都封死！

这一击之威，简直没有人能够抵抗，没有人能够闪避。

孟星魂当然知道叶翔是个多么可怕的杀人者，却从未亲眼看到过。

现在他看到了。

最近他已渐渐怀疑，几乎不相信以前有那么多人死在叶翔手上。

现在他相信了。

叶翔这一击不但选择了最出人意外的时机，也快得令人无法想象。

最出人意外的时机，就是最正确的时机。

只要一出手，就绝不给对方留下任何退路。

狠毒、准确、速度。

这就是杀人最基本的条件，也是最重要的。

这三种条件加在一起，意思就等于是“死”！

最近看过叶翔的人，绝不会相信他还能发出如此可怕的一击。他似已又恢复了昔日巅峰时的状况，对孟星魂的友情、对小蝶的恋情，使得他发出了最后一分潜力。

这已是最后一击！

没有人能避开他这一击。

没有别人，只有老伯！

短剑冲天飞出，落下来时已断成两截。

叶翔的身子腾起，跌下，右腕已被折断。

老伯还是站在那里，神像般动也不动地站在那里。他虽然用袖子挥开十余点寒星，但孟星魂还是看到有几点寒星打在他胸膛上。

至少有四五点。

孟星魂看得清楚，确信绝不会看错。

他也很清楚这种暗器的威力，因为他准备用来杀老伯的也是这种暗器。

无论谁被这种暗器击中，都立刻要倒下，倒下后立刻就死！

老伯没有倒下，也没有死！

暗器打在他身上，就好像打在铁人身上，甚至还发出“叮”的一响。

老伯也许可以算是个超人，是个巨人，但无论如何，总不是铁人！

孟星魂终于发现，在老伯身上穿的那件平凡而陈旧的布袍下，一定还有件不平凡的衣服。

他虽然不知道这件衣服是不是用金丝织成的，但却已知道世上绝没有任何暗器能够射透这件衣服的。

他若以这种暗器来杀老伯，他就死！

这就是孟星魂得到的教训。

这教训却不是从他自己的痛苦经验中得来的，而是用叶翔的命换来的。

叶翔挣扎着，要爬起，又重重跌倒，伏在地上，狗一般喘息，忽然大笑道："我没有错，果然没有错！"

他笑声疯狂而凄厉，又道："我果然杀不死你，果然没有人能杀得死你！"

老伯道："但却有很多人能杀得死你！"

他忽然说出这句话，忽然转身而去。

他没有再看叶翔一眼，却看了看律香川。

律香川懂得他的意思。

老伯要这人死，但却不愿杀一个已倒下去的人。

老伯不愿做的事，律香川就要做。

律香川冷冷地看着叶翔在地上挣扎，看了很久，目光突然转向孟星魂，道："你的刀呢？"

孟星魂道："我没有刀。"

律香川道："你杀人不用刀？"

孟星魂道："用，用别人的，别人手里的兵器，我都能用。"

他的确已能说话，已说得出声来。

但他自己却好像是在听着别人说话，这声音听来陌生而遥远。

律香川看着他，目中露出满意之色，忽然自地上拾起那柄短剑道："你用这柄断剑能不能杀人？"

孟星魂道："能。"

律香川笑了笑，道："你还没有为老伯杀过人，这就是你的机会。"

他笑得很奇特，慢慢地接着道："我说过，你不必着急，这种机会随时都会有的。现在你总该相信吧。"

孟星魂根本没有听到他在说什么。

剑本来就短，折断后就显得更笨拙丑陋。

孟星魂接过剑，转向叶翔。

他根本也不知道自己在做什么。

他耳朵嗡嗡地发响，眼前天旋地转，根本什么也听不到，什么也看不到。

但他却知道叶翔的意思，就算想装作不知道都不行。

为了这一刻，叶翔已准备了很久，等了很久。

他来的时候已没有想再活着回去，因为他自己活着也全无意义，全无希望，他只希望孟星魂能替他活下去。

他已将孟星魂看成他的影子，已将自己的生命和爱情全部转移到孟星魂身上。

孟星魂就是他生命的延续。

这种感情也许很少人能了解，但孟星魂却是很了解，他知道叶翔这样做，是表示愿意死在他手上。可是他不忍。

他宁死也不忍下手！

剑柄上缠着绸，白绸被他掌心流出的冷汗湿透。

他突然抛下剑，道："我不能杀这个人的。"

律香川盯着他，过了很久，才淡淡道："为什么？他是你的朋友？"

孟星魂冷冷道："我可以杀朋友，但却不杀已倒下的人。"

律香川道："为了老伯也不肯破例？"

孟星魂道："我可以为老伯杀别的人，可以等下次机会，这种机会反正随时都会有。"

律香川看着他，既不愤怒，也不惊异，既不威迫，也不勉强。

他连一句都不再说，就这样静静地等着孟星魂从他面前走开。

孟星魂也没有回头。

他还没有走远，就已听到叶翔发出一声短促的惨呼。

他还是没有回头，甚至没有流泪。

他眼泪要等到夜半无人时再流。

虽非夜半，却已无人。

孟星魂伏在地上，眼泪湿透了枕头。

"小蝶是老伯的女儿！"

"你杀不死老伯。"

叶翔牺牲了自己的生命，为的就是要告诉他这两件事。

叶翔要他活下去，要他跟小蝶一起，好好地活下去。

这是叶翔自己做不到的。

“我能做到吗？”

孟星魂握紧拳头，对自己发誓，无论如何一定要做到。

这已是他唯一报答叶翔的法子。

他欠高老大的虽然还很多，但那以后可以用别的法子报答。

这件事他必须放弃，现在他必须离开这里。

他能走得了吗？

花园外面很多坟墓，坟墓里埋葬的都是老伯的“朋友”。

“无论谁只要一进入我们这种组织，就永远休想脱离，无论死活都休想。”

“你就算要死，也得死在这里。”

“但是无论是死是活，老伯都会一样好好照顾你的。”

这是他们经过那些坟墓时，律香川对孟星魂说的。

他说出这些话的时候心里也仿佛很多感慨。

孟星魂并不知道律香川这是真的有感而发，还是在警告他。

他总觉得律香川对他的态度很特别，刚才的态度尤其特别，好像已看出了他和叶翔的关系，看出了他的秘密。

但是他并没有勉强他做任何的事。

“律香川也许会放我走的，但陆漫天呢？”

孟星魂心里的激动稍微平静时，就开始想得更多。

“连叶翔都知道老伯是杀不死的，陆漫天又怎会不知道？”

“陆漫天和老伯的关系比谁都密切，对老伯的了解自然也比别人多。”

“他既然知道我没有杀死老伯的能力，为什么要叫我来做这件事？”

孟星魂的眼泪停止，掌心却已出了冷汗。

他忽然发现陆漫天的计划，远比他想象中还要可怕得多。

这计划的重点并不是要他真的去杀死老伯，而是要他来做梯子。陆漫天先要从这梯子上踩过去，才能达到目的。

孟星魂心中的悲恸已变为愤怒。

没有人愿意做别人的梯子，让别人从自己头上踩过去。

孟星魂擦干眼泪，坐起来，等着。

等着陆漫天。

他知道陆漫天一定不会让他走，一定会找他的！

陆漫天来得比孟星魂预料中还要早。

律香川还没有回来，屋子里好像没有别的人，静得很，所以陆漫天一推门走进来，孟星魂就听到了他的脚步声。

他的脚步声沉着而缓慢，就好像回到自己的家里来一样，显然对一切事都充满自信。

他的神情更镇定，无论怎么看都不像是个心怀叵测的叛徒。

无论谁要出卖老伯这种人，都难免会觉得有点紧张不安，但是他却完全没有。

他脸上甚至还带着微笑，一种将别人都当作呆子的微笑。

孟星魂勉强抑制着心中的愤怒，冷冷道："你来干什么？"

陆漫天微笑着道："没有什么，我只是来看你准备好了没有，现在时候已快到了。"

孟星魂道："我没有准备。"

陆漫天皱皱眉，道："没有准备？无论你多有经验，杀人前还是要准备的。"

孟星魂道："我没有准备杀人。"

陆漫天道："可是你非杀不可。"

孟星魂突然冷笑，道："假如我一定要杀人，杀的不是老伯，而是你！"

陆漫天好像很吃惊，道："杀我？为什么？"

孟星魂道："因为我不喜欢让人往我头上踩过去，不喜欢被人当作梯子。"

陆漫天道："梯子？什么梯子？"

孟星魂道："你要我来，并不是真的要我刺杀老伯，因为你当然早已知道，我根本没有成功的机会。"

陆漫天脸上并没有什么表情，但瞳孔却已开始收缩，道："那么我为何要你来？"

孟星魂道："也许你已有了刺杀老伯的计划，而且确信一定成功。"

陆漫天道："那么我就更不必要你来了。"

孟星魂道："但你却不承担刺杀老伯的罪名，因为你怕别人会为老伯复仇，更怕别的人不肯让你代替老伯的地位，所以，要我来替你承担这个罪名。"

陆漫天道："说下去。"

孟星魂道："你要我在那地洞中等待着刺杀老伯，但我也许根本就没有机会出手，你也许就已先发现了我。"

陆漫天道："然后呢？"

孟星魂道："你一开始就表示不信任我，老伯当然绝不会怀疑这计划是你安排的，你为他捉住了刺客，他当然更信任你。"

陆漫天道："然后呢？"

孟星魂道："你就会在他最信任的时候，向他出手。"

陆漫天道："你认为我能杀得了他？"

孟星魂冷笑道："你是他多年的朋友，而且是最好的朋友，当然比别人更知道他的弱点，何况你早已计划周密，他对你却完全没有防备。"

陆漫天道："所以你认为我的机会很大？"

孟星魂道："世上假如只有一个人能杀得了老伯，那人就是你。"

陆漫天忽然笑了，但笑得很特别，道："谢谢你，你好像把我看得很高。"

孟星魂道："你杀了他之后，就可以对别人宣布，你已抓住了刺杀老伯的刺客，已经替老伯报了仇，别的人自然更不会怀疑你，你就可顺理成章地取代老伯的地位。"

他冷笑着接着道："这就是你的计划，你不但要出卖老伯，也要出卖我。"

陆漫天冷冷道："但你也有嘴，你也可以说话的。"

孟星魂道："谁会相信我的话？何况，你也许根本不会给我说话的机会。"

陆漫天看着他，脸上还是全无表情，过了很久，忽然笑了笑，道："想不到你居然很聪明，做刺客的人本不应如此聪明的。"

他微笑着，好像在为孟星魂解释，又道："因为自己冒险动手去杀人，已是件很愚蠢的事，为别人杀人更愚蠢，聪明人绝不会做的。"

孟星魂目中露出痛苦之色，因为他知道陆漫天这句话并没有说错。

这句话实已触及了他的隐痛。

陆漫天正欣赏他的痛苦，目中带着满意的表情，悠然道："但聪明人通常都有个毛病，聪明人都怕死。"

孟星魂道："怕死的人不会做这种事。"

陆漫天道："那只因你以前还不够聪明，但现在，你显然已懂得能活着是件很好的事，无论如何总比死好些。"

他忽又笑了笑，问道："你知不知道刚才来的那个人叫叶翔？"

孟星魂咬紧牙。

陆漫天又道："你当然知道，因为他是你最好的朋友，但你却看着他在你面前被人杀死，连一点反应都没有，那又是为了什么？"

他微笑着，接着道："那只因你已变得聪明了，已不愿陪他死，就算你还有别的理由，也一定是自己在骗自己。"

孟星魂的心在刺痛。

他的确是看着叶翔死的，他一直在为自己解释，这样做，只不过因为不忍叶翔的牺牲变得毫无代价，只不过因为叶翔要他活下去。

但现在，陆漫天的话却像是一根针。

他忽然发觉自己并不如想象中那么伟大，他那么做也许真的只不过是因为怕死。

他现在的确不愿死。

陆漫天缓缓道："你说得不错，到现在为止，还没有人会怀疑我，我随时都可以揭破你的身份，随时都可以要你死。"

他凝视着孟星魂，就像是猫在看着爪下的老鼠，微笑着接道："所以你若还想活下去，就只得听我的话去做，因为你根本已无路可走。"

孟星魂握紧双拳，哼声道："我就算做了，结果岂非还是死？"

陆漫天道："你若做得很好，我也许会让你活着的，我可以找另外一个人来替你死。我可以将那人的脸打得稀烂，要别人认为他就是你，那样你就可以远走高飞，找个没有人认得你的地方活下去。只要你不来麻烦我，就没有别人会去麻烦你。"

他微笑着又道："我甚至还可以给你一笔很大的报酬，让你活得舒服些。一个人只要能舒舒服服地活着，就算活得并不光荣也很值得的。"

第十六章

阴霾逼人

他的微笑动人，说的话更动人。

孟星魂迟疑着，道："你说的话，我怎能相信？"

陆漫天道："你非相信不可，因为这是你唯一的机会，你根本没有选择的余地。"

陆漫天走了，走的时候还充满了自信。

"你好好准备吧，最好莫要玩别的花样，因为我随时随地都在注意你。"

他当然并不信任孟星魂，但却知道孟星魂根本没有花样可玩。

孟星魂已是他网中的鱼。

"我难道真的没有第二条路走？"

就算真的已无路可走，也不能走这条路。

"我绝对不能去杀老伯，绝对不能去杀小蝶的父亲。"

何况，陆漫天说的话，孟星魂连一个字都不能相信。

他知道陆漫天无论如何都不会让他活下去的。

"那么，我难道只有死？"

死，有时的确是种很好的解脱。

很久以前，孟星魂就曾经想到过自己迟早要用这种方法来解脱。

他久已觉得厌倦，死，对他来说，非但不困难，也不痛苦。但现在呢？

秋已深，秋日的黄昏仿佛来得特别早。

菊花虽已渐渐开始凋零，但在暮色中看来，还是那么美丽。

菊花和蝴蝶一样，它的生命总是在最美丽的时候就已开始枯萎凋谢。

这岂非是件很令人悲哀的事?

孟星魂忽然想起了小蝶的话!

“蝴蝶的生命虽然如鲜花般脆弱，可是它活得芬芳，活得美丽，它的生命已有价值，所以就算死，也没有什么值得悲哀的。”

人的生命岂非也一样?

一个人能活多久并不重要，重要的是，要看他怎么样活着，活得是否有价值。

晚风中已传来悦耳的铃声!

孟星魂的心忽然抽紧。

他站起来，大步走出去。

“我绝不能死。”

他还没有真正地活过，所以绝不能死!

可是，要怎么样他才能活下去呢?秋风萧索，连菊花都已到了将要凋谢的时候。

尤其是这一丛菊花!这丛菊花开得很早，也开得最美，所以也凋谢得最快。

老伯以指尖轻抚着脆弱的花瓣，心里忽然有很多感慨。

他的手指虽仍如少年时那么稳定而有力，但心境却已和少年时大不相同。

少年时他对什么事都看得很开。

“菊花谢了，还有梅花，梅花谢了，还有桃花。既然我四季都有鲜花可赏，为什么要为那些枯萎的花木去惋惜感叹?”

花若谢了，就已不再有任何价值，就已不值得他去顾念。

人也一样。

他从不同情死人，从不为死人悲哀，因为人一死也就变得全无价值，他从不将任何一样没有价值的东西放在心上。

但现在，他的想法却似已渐渐在变了。

他已渐渐发觉，一个人对另一个人的价值并不在他的死活，而在于和那人之间的感情。

他已渐渐将情感看得更重。

“难道这就是老人的心情?难道我已真的老了么?”

老伯轻轻叹了口气，抬起头，就看到孟星魂正向他走过来。

孟星魂的脸色虽沉重但脚步矫健轻快。在暮色中看来，他的眼睛依然发着光，皮肤依然光滑紧密，肌肉充满弹性，身材依然笔挺。

他还年轻。

老伯看着这年轻人，心里忽然有种羡慕的感觉，也许嫉妒更多于羡慕。

本来只有孙剑是他老来唯一的安慰，是他生命唯一的延续。但现在孙剑已死了。

世上为什么有这么多老年人不死，死的为什么偏偏是孙剑？

孟星魂已走过来，走到他面前。

老伯忽然道："律香川难道没有告诉你？你不知道这是吃饭的时候？"

孟星魂道："我知道。"

老伯的脸色很难看，道："你知不知道我为什么要选这时候出来散步？"

孟星魂道："因为你不愿被人打扰。"

老伯道："所以你就根本不该来的。"

孟星魂忽然笑了笑，道："我现在本该在什么地方，你也许永远想不到。"

老伯道："你本该在哪里？"

孟星魂道："就在这里！"

他忽然拔起老伯面前的菊花，露出花下的洞穴。

老伯凝视着这个穴，目中露出深思之色，过了很久，才缓缓道："你本该在这里干什么？"

孟星魂道："杀你！"

老伯霍然抬起头，盯着他，但面上并没露出惊讶的表情，只是冷冷地盯着他，像是想看穿他的心。

孟星魂说道："我到这里来，为的本就是要杀你。"

老伯又沉默了很久，忽然笑了笑，道："你以为我不知道？"

孟星魂反而吃了一惊，道："你知道！"

老伯道："你不是秦中亭。"

孟星魂动容道："你怎么知道的？"

老伯淡淡道："你看来仿佛终年不见阳光，是以绝不似从小在海上生活的人。"孟星魂的脸色苍白，他当然知道自己的脸是什么颜色。

这次行动看来本全无破绽，他一直认为高老大的计划算无遗策，却想不到还是算错了一件事。

她低估了老伯。

任何人都不该低估老伯。

孟星魂目中不禁露出敬佩之意，才长叹了一口气，道："你知道我是来杀你的，却还是将我留下来？"

老伯点点头。

孟星魂道："因为你知道我杀不了你？"

老伯笑笑道："假如只有这一个原因，你现在已死了。"

孟星魂道："还有什么别的原因？"

老伯道："因为我需要你这样的人，你既然可以为别人来杀我，当然也可以为我去杀别人。"

他又笑笑，接着道："你连我都敢杀，还有什么不敢杀的？杀人要有胆子，而真正有胆子的人并不多。"

孟星魂道："你想收买我？"

老伯道："别人能买到的，我也能，我的价钱出得比别人高。"

孟星魂道："你也知道是谁要我来杀你的？"

老伯道："我知道的事至少比你想象中多。"

孟星魂道："你既然知道，还让那叛徒活着？"

老伯道："他活着比死有用。"

孟星魂道："有什么用？他出卖你。"

老伯道："他既能出卖我，也就能出卖别人。"

他目中带着残酷的笑意，缓缓接着道："每个人都有利用的价值，只看你懂不懂利用而已。"

孟星魂道："你要他出卖谁？"

老伯道："他一个人还不敢做这种事，他还没有这么大的本事，也没有这么大的胆子。"

孟星魂道："你认为他还有同谋？"

老伯点点头。

孟星魂道："你要他说出那些人是谁？"

老伯道："用不着他说，我自己迟早总能看出来的。"

孟星魂凝视着他，忽然长叹了口气，道："我现在终于相信了一件事。"

老伯道："什么事？"

孟星魂道："你能有今天的地位，并不是运气，能活到今天，也不是运气。"

老伯微笑道："所以你若跟着我，绝不会吃亏的，你至少能学到很多事，至少能活得长些，你的选择的确很聪明。"

孟星魂道："你认为我这么样做，是为了想投靠你？"

老伯道："你不是？"

孟星魂道："不是！"

老伯这才觉得有些意外，道："那么你为的是什么？"

孟星魂道："我要你让我走。"

老伯又笑了，道："你想得很天真，你凭什么认为我会让你走？我若不能利用你，为什么要让别人来利用你？"

孟星魂道："因为你的女儿！"

老伯的笑容忽然凝结，目中出现怒意，厉声道："我早已没有女儿。"

孟星魂道："我不知道你为何不肯承认她是你女儿，我只知道一件事，无论你怎么想，她还是你女儿，血总比水浓。"

他凝注着老伯，老伯的怒容虽可怕，但他却全无惧色，接着又道："有些事是无论谁都无法改变的，连你也不能。"

老伯握紧双拳，道："她和你有什么关系？"

孟星魂说道："我愿意做她的丈夫。"

老伯忽然一把揪住他，厉声道："那么我就要你为她死！"

孟星魂道："我不能死，因为我要为她活着，我也要她为我活着，你若杀了我一定会后悔的！"

老伯逼视着他的眼睛，额上已因愤怒而暴出青筋，说道："后悔？我杀人从不后悔！"

孟星魂的眼睛真诚而无惧，也许就是因为真诚，所以无惧：“你已没有儿子，她已是你唯一的骨血。”

老伯大怒道：“你为什么在我面前说这些话？”

孟星魂道：“因为我知道你是讲理的人，所以不愿骗你。”

老伯道：“你已认识她很久？”

孟星魂道：“不久。”

老伯道：“你知不知道她是一个怎样的人？”

孟星魂道：“无论她是个怎么样的人都一样。”

老伯道：“她以前……”

孟星魂打断了他的话，道：“她以前的遭遇愈悲惨，以后我就会对她愈好，何况，以前的事都已过去，我根本就不想知道。”

老伯的手忽然放开，目中的怒意也消失。

他看来仿佛老了很多，黯然道：“你说得不错，我已经没有儿子，她已是我唯一骨血……”

孟星魂道：“所以你应该让他们好好地活着，她跟她的儿子。”

老伯突又咬紧牙，道：“你知不知道谁是那孩子的父亲？”

孟星魂道：“我不知道，也不在乎。”

老伯道：“你真的不在乎？”

孟星魂道：“我既然愿意做她的丈夫，就也愿做她儿子的父亲。”

他逼视着老伯，一字字道：“连我都能原谅她，你为什么不能？”

老伯低下头，目中露出痛苦之色，喃喃道：“我只恨她，为什么一直都不肯说出那孩子是谁的？”

孟星魂道：“每个人都有不可告人的苦衷，何况，那本是她的伤心事，她也许连自己都不愿意再想，你是她的父亲，为什么一定要苦苦逼她？”

老伯又沉默了很久，忽然道：“她现在活得怎么样？”

孟星魂道：“她总算是活着，也许就因为她是你的女儿，所以才能够支持到现在，还没倒下。”

老伯抬起头道：“你真能让她好好活下去？”

孟星魂道：“我一定尽力去做。”

老伯长长叹息一声，黯然道：“也许我真的老了，老人的心肠总是愈来愈软的。”

他抬头看着孟星魂，目光渐渐变得温暖。

他看得出这少年是个可信赖的人，只要说出的话，就一定能做到。

他仿佛已从这少年身上看到一丝希望。

“我毕竟有个女儿，还有下一代……”

他忽然紧紧握住孟星魂的手，道：“你若真的要她，我就将她交给你。”

孟星魂只觉一阵热血冲上咽喉，热泪几乎夺眶而出，过了很久，才能哽咽着道：“我，不会让你后悔的。”

老伯道：“你还要什么？”

孟星魂道：“有了她，我已经心满意足。”

老伯目中现出了温暖的笑意，道：“你准备带她到哪里去？”

孟星魂沉吟着，还没有说话，老伯又道：“我希望你带她走远些，愈远愈好，因为……”

他脸色忽又变得很沉重，接着道：“这里的情况已愈来愈危险，我不希望你们牵连到这里面来。”

孟星魂看着这老人，看着他脸上的皱纹和目中的忧虑之色，心里忽然有种说不出的感受！

他毕竟已是个老人，而且比他自己想象中孤独。孟星魂忽然对这老人有了种奇异的感情，他们之间仿佛已有了种奇妙的联系，使得他们忽然变得彼此关心起来。

因为他已是他女儿的丈夫。

孟星魂忍不住道：“你一个人能应付得了？”

老伯笑笑，道：“你用不着担心我，我已应付了很久，而且应付得很好。”

孟星魂道：“以前不同，以前，你有朋友，现在……”

老伯道：“我也是赌徒，一个真正的赌徒，从不会真正输光的，就算在别人都以为他已输光的时候，但其实他多多少少还留着些赌本的。”

他微笑着又道：“因为他还要翻本。”

孟星魂也笑了，道：“只要赌局不散，翻本的机会随时都会来的。”

老伯缓缓道：“就算这次赌局已经散了，他还会有下一次赌局，真正的赌徒，随时随地都可以找得到赌局的。”

他微笑着拍了拍孟星魂的肩，又道：“只可惜你不能陪我一起赌。”

孟星魂道：“为什么？”

老伯眨眨眼，笑道：“因为你已是我女婿，没有人愿意以他女婿作赌注的。”

“女婿”，这是多么奇妙的两个字，包含着一种多么奇妙的感情。

世事的变化是多么奇妙！

孟星魂又怎想到自己竟会做老伯的女婿？

夜已深，风更冷。

孟星魂心里却充满了温暖之意，人生原来并不像他以前想得那么冷酷。

老伯道：“她是不是在等你？”

孟星魂点点头，“有人在等”这种感觉更奇妙，他只觉咽喉仿佛被又甜又热的东西塞住，连话都说不出。

老伯道：“那么你快去吧，我送你出去。”

他忽又笑了笑，道：“无论你带她到哪里去，我只希望你答应我一件事。”

孟星魂道：“你……你说。”

老伯紧握着他的手，道：“等你有了自己的儿子，带他回来见我。”

路很长，在黑暗中显得更长。

老伯看着孟星魂的背影，想到他的女儿，不禁轻轻叹了口气！

“他们的确还有段很长的路要走。”

他只希望他们这次莫要迷路！

虽然他心里有很多感触，却并没有想太久，因为他也有段很长的路要走，这段路远比他们的更危险、艰苦。

他转过身的时候，身子已掠出三丈。园中已亮起灯火，他掠过花从，掠过小桥。

陆漫天住的屋子里也有灯光，窗子却关着。

昏黄的窗纸上，映着陆漫天瘦长的人影，他笔直地站着，仿佛在等人——是不是还在等着孟星魂的消息？

老伯没有敲门。

他既已下了决定，就不再等，三十年来，老伯从没有给任何人先出手的机会，他很懂得“先下手为强”这句话的道理。

他也时常喜欢走最直的路。

“砰！”窗子被撞得粉碎，他已穿窗而入。

然后他就愣住。

陆漫天不是站着的，是吊着的。

他悬空吊在梁下，脚下的凳子已被踢得很远。老伯伸手一探他胸口，已完全冷透，冷得就像是他的铁胆。

那对终年不离他左右的铁胆，整整齐齐地摆在桌上，铁胆下压着一张纸，纸上的字迹潦草零乱：“你既没有死，所以我死。”

没有别的话，就只这简简单单九个字。

他毕竟还是未能出卖别人，却出卖了自己。因为他的计划周密，却还是算错了一样事。

他忘了将人与人之间的情感算进去。

也许大多数走上阴谋失败之路的人，都因为忘了将这一点算进去。

人与人之间的情感本就是无法计算的，但却能决定一切，改变一切。

正因为如此，所以人性永存，阴谋必败。

老伯抬起头，看着陆漫天狰狞可怖的脸，仿佛还想问出什么来，只可惜他的舌头虽长，却已无法说出任何秘密了。

律香川不知何时已来到窗外，面上带着吃惊之色，他听到窗子被撞破时那“砰”的一响，立刻就赶来。

花园里无论有什么风吹草动，他都会立刻赶到。

所以老伯用不着回头，就知道他来了，忽然道：“你在想什么？”

律香川道：“我在想……他，不像是个会自己上吊的人。”

老伯道：“还有呢？”

律香川叹了口气道：“他也不像是个叛贼。”

老伯道：“他是叛贼，但却不是自己上吊的。”

他总喜欢先问别人的意见然后自己再下结论。

这就是他的结论，他的结论很少错。

律香川倒抽了口冷气道：“是谁杀死了他？”

老伯并没有直接回答，缓缓道：“我要他去找易潜龙时，就已知道他出卖了我。”

律香川不敢再问，只是听着。

老伯道：“因为易潜龙突然失踪的消息，本不该有别人知道，但万鹏王却好像比我先知道。”

律香川道：“现在江湖中知道的人已不少。”

老伯道：“就因为他将这消息泄露给万鹏王就立刻传布出去，好让江湖中人都知道孙玉伯已孤立无助。”

律香川叹道：“我从未想到叛贼会是他，我简直从来没有怀疑过他。”

老伯冷笑道：“但他只配做帮凶，还不够资格做主谋。”

律香川道：“所以那主谋人才会杀他灭口？”

老伯点点头。

律香川道：“能逼他自尽的人并不多，难道万鹏王会……”

老伯忽然打断了他的话，道：“你立刻去准备他的葬礼，愈隆重愈好。”

律香川又有些意外，道：“这种人的葬礼为什么还要隆重？”

老伯转身走了出去，走到门口，才淡淡道：“因为他是我的朋友……”

所以江湖中都相信一件事！

老伯有很多朋友。每个朋友都绝对忠实，从没有人敢出卖过老伯。

天亮了。

黑暗无论多么长，总有天亮的时候。

清晨的太阳，新鲜得就像是刚摘下的草莓。

风吹在人身上，令人觉得懒洋洋的，仿佛又到了春天。

孟星魂坐在那里，没有重力。

但他的心却已飞了起来，觉得自己新鲜得就像这初升的太阳，自由得像风。他拉着小蝶的手，几乎想大声地呐喊。

“现在我们什么地方都可以去了。”

灾难、疲惫、艰苦都已成过去。现在，太阳在他头上，小蝶倚在他肩上，孩子已在她身旁睡着，整个世界都是属于他们的。

“你要去哪里就去哪里，只要你说，我们立刻就可以。”

小蝶忽然道：“我一直想告诉你一件事，我并不是什么地方都可以去的。”

孟星魂道：“为什么？”

小蝶的目光在远方，思潮似乎也在远方，悠悠道：“因为，我的父亲……你永远想不到我的父亲是谁。”

孟星魂道：“哦！”

小蝶道：“我一直没有告诉你，因为他的名誉并不好，你……你也一直没有问。”

孟星魂笑道：“我喜欢的是你，不是你的父亲，无论他是谁都不重要。”

小蝶道：“可是他不同，因为他若找到我们，一定不会让我们好好活着的。”

孟星魂微笑道：“我若告诉你，他已经答应了我呢？你信不信？”

小蝶霍然回头，凝视着他，目中带着几分惊喜，又带着几分不信，忽又用力摇摇头，道：“就算他肯，别人也不肯。”

孟星魂道：“别人？别人是谁？”

小蝶垂下头，用力咬着嘴唇。

孟星魂当然知道她说的是谁，过了半晌，缓缓道：“我已见过你的父亲。”

小蝶悚然道：“你真的见过他？”

孟星魂道：“他并不是个可怕的人，也没有你想得那么无情，只不过……”

小蝶目中忽然露出一种怨恨之意，道：“只不过他却将自己亲生的女儿赶了出来，只不过因为他女儿被人欺侮，生了个见不得人的孩子。”

她目中已有泪珠转动。孟星魂实在不忍再逼她，但他也是个人，终于忍不住道：“你为什么不肯告诉他是谁欺侮了你？为什么不肯告诉他，这孩子的父亲是谁？”

小蝶摇着头，道：“因为我不能说，永远不能说。”

孟星魂道：“为什么？”

小蝶忽然掩面痛哭，道：“求求你，莫要逼我，莫要像我父亲一样逼我……”

孟星魂握紧双拳，又松开，长笑道：“我绝不会勉强你做任何事，但是那个人……他难道不肯放过你？”

小蝶点点头流着泪道：“我实在不应该连累你，因为他能找到我们，非但不会放过我，也不会放过你。”

孟星魂道：“那么我们就不要让他找到。”

小蝶又抬起头，道：“真的？你真的肯这么做？你真的肯躲着他？”

她知道要一个男人逃避躲藏是多么痛苦的事，尤其是像孟星魂这样的男人，她简直不相信他能忍受这种痛苦委屈。孟星魂轻轻将她揽入怀抱，微笑道：“我为什么不肯？一个人看到疯狗时不总是会躲远些吗？”

小蝶道：“可是……”

孟星魂掩住她的嘴，道：“我们就算万一被他找到，我们就算无法抵抗，就算死，但我们至少已活过……你记不记得说过的一句话？”

小蝶道：“你是说……蝴蝶？”

孟星魂点点头，道：“蝴蝶……蝴蝶的生命虽脆弱，但你情愿做蝴蝶，还是做长寿的乌龟？”

小蝶也笑了，倒在他怀里。

一阵秋风，卷起了落叶，虽已是深秋，但他们却似看到了一只蝴蝶在落叶中飞翔，那么自由，那么美丽，连落叶都仿佛被染上了芬芳……

第十七章

孤注一掷

剑已出鞘，短剑。

剑就好像毒蛇，愈短的愈凶险。

老伯轻摸着剑锋，剑锋冰冷，但他的心却似已渐渐热了起来。

他已有多年未曾触及过剑锋。近年来他杀人已不用剑。

他本希望这一生永远不再用剑。

“剑是年轻人的利器，却只适合做老年人的拐杖。”

老年人若不懂这道理，那么剑就往往会变成他的丧钟。

老伯当然懂得这道理。但是现在却已到了他非用剑不可的时候。

现在，距离韩棠的死已有一年。这一年来，他几乎什么事都没有做，几乎变成了聋子、瞎子。

江湖中凡是和老伯有关系的人，几乎全都已遭十二飞鹏帮的毒手。

但是老伯听不见，也看不见。

江湖中凡是和老伯有关的事业，几乎全都已被十二飞鹏帮霸占。

以前若有人问起老伯，被问的人一定立刻会挺起胸回答：“老伯是我的朋友！”

但现在就算真的是老伯朋友的人，也会摇头。

“老伯？谁是老伯？老伯是什么东西？”

有些人甚至已替他起了另外的名字：“孬伯。”

“孬”的意思就是懦夫，就是没种！

但是老伯听不见，你就算指着他鼻子骂，他也听不见。万鹏王已派人送来战书，约老伯去决一死战。

十二封战书，每个月一封，一封写得比一封难堪恶毒，世上所有侮辱人的话，几乎都可在这些战书里找得到。

但是老伯看不见。

万鹏王只差一件事还没有做！

他还没有直接闯到老伯“花园”里去，因为他毕竟还摸不透这花园中虚实，根本没有人知道这里究竟有多少埋伏。

何况，他既已完全占尽上风，又何必再冒这个险。

每个人都知道老伯已被万鹏王打得无法还手，无法抬头。

那么，就让这么样一个糟老头子躲在他的窝里等死，又有何妨？

反正这个人已没有危险，已起不了作用。

这正是老伯要万鹏王对他的想法。

这一年来，老伯只做了一件事——养成了万鹏王的傲气。

“骄傲就有疏忽，无论多么小的疏忽，都可能是致命的疏忽。”

现在已到了老伯反击的时候。

剑入鞘，老伯从桌子的秘密夹层中，取出两张很大的地图。

第一张地图，包括了十二个省份，每一份都用朱笔画了圈。

那正是十二飞鹏帮的十二总舵所在地。

第二张是万鹏王“飞鹏堡”的全图，将飞鹏堡里里外外，每一个进口和出口，都详详细细地画了出来。

这张图老伯就算闭着眼，也能重画一张出来。

但现在他还是又很仔细地看了一遍。

这一战已是他最后一战，无论成败，都是他最后的一战。

他不愿再有任何疏忽。

这一战他已筹划几年，只能成功，绝不许失败！

他将地图折起，用短剑压住，然后才拉动墙角的铃索。

他准备找律香川进来。

这一年来律香川的变化并不大，只不过更深沉、更冷静了些，说的话也更少。

他看来虽还是同样年轻，但自己却知道自己已老了很多。

忍辱负重的时候，的确最容易令人苍老。

他当然知道老伯如此委曲求全，暗中必定有很可怕的计划，但却从未问过。

老伯密室中还有密室，他虽也知道，却也从未踏入。

那地方除了老伯外，根本就没有第二个人进去过。

现在老伯却忽然召他进去，他就知道计划必已成熟，已到了行动的时候，这一次行动必定比以前所有的行动都可怕。

所以连他的心情都不免有些紧张，激动地走进老伯的密室，他甚至已能听到自己心跳的声音。

所有的事都已到了最后关头，他也早已在心里发过誓，这最后一举是只许成功，绝不能失败的。

老伯拿起一封信，道："这是万鹏王前几天送来的战书，也是他最后的警告。"

他看着律香川，神情出乎意外地平静，淡淡道："你猜他要我干什么？"

律香川摇摇头。

老伯道："他要我顶替方刚，做他银鹏坛的坛主。"

律香川脸色变了，面上露出怒容。

这对老伯简直是侮辱，简直没有更大的侮辱。

老伯却笑了笑，道："他还答应我很多优厚的条件，答应不追究我过去的事，保留我的花园，甚至还答应让你做我的副手。"

律香川握紧双拳，冷笑道："他在做梦。"

老伯淡淡道："他不是做梦，因为他算准我已无路可走，若想活下去，就只有听他的话，在他说来，这对我非但不是侮辱，而且已经非常优厚了。"

律香川长长吸入一口气，道："他还在等我们的答复？"

老伯道："他限我在重阳之前给他答复，否则就要踏平我这地方，他说他准备用十二飞鹏帮所有的力量，来大举进攻。"

律香川道："我希望他来！"

老伯道："我不希望，所以，我要你来回信答复他。"

律香川道："回信怎么写？"

老伯道："答应他！"

律香川愕然一怔，道："答应他？答应做他的属下？"

老伯点点头，道："而且还问他，什么时候肯让我去拜见总帮主。"

律香川双唇都已显得发白，道：“你真的准备去？”

老伯道：“我说去当然就要去。”

他忽又笑了笑，悠然接着道：“但却不是在他要我去的那天去，他刚接到这封信时，我就去了。”

律香川忽然明白了老伯的意思，眼睛立刻发出了光。

老伯已准备进攻。

老伯进攻时，必定令人措手不及。

万鹏王绝对想不到老伯敢来进攻他的飞鹏堡——铜墙铁壁，飞鸟难渡的飞鹏堡，无论谁也不敢妄想越雷池一步。

老伯要他想不到。

律香川苍白的脸已有些发红，轻轻咳了两声，道：“我们什么时候去？”

老伯道：“你不去，你留守在这里。”

律香川变色道：“可是我……”

老伯打断了他的话，道：“有的人适于攻，有的人适于防守，假如孙剑还在，我也许就会叫他替我去，只可惜……”他声音忽然有些嘶哑，也咳嗽了两声，才接着道：“你和孙剑不同，你远比他冷静得多，所以我走了之后，才放心将这里的一切全交给你。”

律香川咬着牙道：“我从未违背过你老人家的话，可是这一次——这是我们最后一战，我不愿躲在这里看别人去拼命，我愿意为你死！”

老伯叹了口气，道：“我明白你的心情，但你却忘了一件事。”

他沉声接着道：“我是去胜的，不是去败的，所以必须保留住根本，留作日后再开局面，这里就是我的根本所在，若没有你在这里防守，我怎么能放心进攻？”

律香川低下头，沉默了很久，终于忍不住道：“但我们还有什么值得防守的？”

老伯悠然道：“你若以为我们留下的东西不多，你就错了。”

他笑了笑，接道：“万鹏王也认为已将我的基业占去了十之八九，他也错了，他抢去的顶多只能算是几粒芝麻而已，整个烧饼还在我手里！”

律香川抬起头，目中露出钦佩之意。

老伯拍了拍桌子，道："这就是我的烧饼，我现在交给你，希望你好好保管！"

他又笑了笑，接着道："记着，这烧饼足够我们吃好几辈子。"

律香川嗫嚅着道："这责任太大，我……"

老伯道："你用不着推辞，也用不着害怕，我若非完全信任你，也不会将它交给你。"

律香川道："可是我……"

老伯沉下了脸，道："不必再说了，这件事我已决定。"

律香川不再说了。

老伯已决定的事，从来没有人能改变。

老伯脸色渐渐和缓，道："这桌子里有三百七十六份卷宗，每一份卷宗，都代表一宗财富，管理它的人，本来只有我一个人能指挥，因为他们也只接受我一个人的命令。"

律香川在听着！

老伯道："但无论谁，只要有了我的密令和信物，都可以直接命令他们，现在我也全都交给你！"

他又补充道："我给这三百七十六人的密令和信物都不同，若是万一弄错，去的人立刻就有杀身之祸。"

律香川一直在静静地听着。

他本来就觉得老伯是个了不起的人，现在这种观念更深。

直到现在，他才知道老伯的财产是如此庞大，如此惊人，就算用"富可敌国"四个字来形容，也不过分！

要取得这些财产，已不容易，要保持更不容易。

除了老伯外，他简直想不出还有第二个人能保持得这么久，这么好，这么秘密。

现在老伯已将这惊人庞大的财产全交给了他，但是他面上并没有露出欢喜之色，反而觉得很恐慌，很悲哀。

老伯似已看透了他的心意，微笑着道："你用不着难受，我这样做，并不是在交托后事，只不过预防万一而已，这一战虽然危险，但若无七分把握，我是绝不会轻举妄动。"

律香川当然知道老伯一个人不做没有把握的事。

他长长透了口气，又忍不住问道：“你准备带多少人去？”

老伯取出个存折似的小本子，道：“这就是他们的名单，七天之内，你要负责将他们全部找来这里。”

律香川道：“是！”

他接过名单，翻了翻，又不禁皱眉头：“只有七十个人？”

老伯道：“这七十人已无疑是一支精兵，莫忘了有些人是可以一当百的！”

律香川沉吟道：“这其中万一有叛徒……”

老伯道：“绝不会，我已仔细调查过他们每个人都绝对忠诚。”

律香川点点头。

自从陆漫天死后，这地方已没有叛徒出现过。

“但七十人无论如何还是不够，就算真有一支精兵雄师，也很难将飞鹏堡攻破。何况这七十人中并没有一个真正的高手，至少还没有一个人能胜过万鹏王属下十二飞鹏的。”

这些话他虽不敢直接说出来，但脸上的表情却已很明显。

老伯又看透他的心意，微笑道：“这七十人虽然稍嫌不够，但若再加上些运气，也就够了，我的运气一直很不错。”

律香川知道老伯绝不是个相信运气的人，他仿佛另有成竹在胸。

但是老伯既然要这样说，律香川也只有相信。

老伯忽然叹了口气，道：“但运气并不是一定靠得住的，所以……我这次出去，万一若是不能回来，就还有件事要你做。”

律香川道：“是！”

老伯道：“我万一有所不测，你就要将这些财产分出去，有些人已跟了我很多年，我总不能让他们下半辈子挨饿。”

律香川道：“是！”

老伯道：“我当然也有些东西留给你！”

律香川垂下头，黯然道：“不必留给我……”

老伯沉下了脸，厉声道：“你难道想死！”

律香川头垂得更低。

老伯道：“你绝不能死，因为你还要等机会，不但要等机会替我报仇，还要等机会将我这番事业复兴。我没有儿子，你就是我的儿子！”

律香川道："是！"

老伯展颜道："所以我大部分财产你都可自由支配，其中只有我特别注明的几份是例外。"

他神情忽然变得很奇特，缓缓接着道："那几份财产我是留给小蝶的。"

律香川沉默了很久，才叹了口气，道："我明白，我一定找到她，交给她。"

老伯道："你还记得那个叫'秦中亭'的少年人？"

律香川道："那样的人我怎会忘记？"

老伯道："他是个很有用的人，你若能要他做你的朋友，对你的帮助一定很大。"

律香川道："这人好像很神秘，自从那天之后，就已忽然失踪，我也曾在暗中打听过他，但江湖中好像根本就没有这么样一个人出现过。"

老伯笑笑，道："有的，你只要找到小蝶，就找到他了。"

律香川觉得很惊讶，但瞬即笑道："我只要找到他，就能要他做我的朋友，因为我们本来就是朋友。"

老伯笑道："很好，我知道你的眼光，一向不错……"

他笑容忽又消失，沉下脸道："除此之外，我还要你做一件事！"

他目中射出怒意，道："我要你替我查出小蝶那孩子的父亲是谁，查出后立刻杀了他！"

律香川道："是，我一定想法子查出来的！"

老伯道："很好，很好……"

他长长吐出口气，脸色又渐渐和缓，微笑道："我对你说这些话，只不过是以防万一而已，我还是会回来的，带着万鹏王的人头回来。"

律香川也展颜笑道："那天我一定重开酒戒，用他的人头做酒壶。"

老伯道："你从什么时候开始戒酒的？"

律香川叹息着，道："从我得到武老刀死讯的那一天。"

他垂下头，慢慢地接着又道："那天我若非已喝得很醉，也许能猜出万鹏王的阴谋，武老刀父子也许就不会死。所以从那天之后，我一直滴酒未沾，因为我发觉无论谁喝了酒之后，都很容易做错事。”

老伯点了点头，忽又问道：“女人呢？自从林秀走了后，你就不曾再有过别的女人？”

律香川觉得惊异，仿佛想不到老伯会问他这件事，因为这本是他的私事，老伯一向很少过问别人的私事。

但老伯问了。

所以他只有回答，他摇摇头。

老伯道：“为什么？你身体一向不错，难道不想女人？”

律香川苦笑道：“有时当然也会想，但找女人不但要有时间，还要有耐性，这两样我都没有。”

老伯微笑道：“你错了，我年轻时很少有时间，更没有耐性，但却总是有很多女人，而且全都是很好的女人。”他凝视着律香川，接着说道：“这两年来你已应该很有钱，只要有钱，就找得到最好的女人，这道理你难道不懂？”

律香川道：“我懂，但我却不喜欢用钱买来的女人。”

老伯道：“你又错了，女人就是女人，你无论用什么法子得到她们都不重要，重要的是，只看你能不能真正得到她们！”

律香川叹道：“那并不容易。”

老伯道：“谁说不容易？女人就是野马，只要你能驯服她，她就永远是你的；只要你能骑上她，就应该有法子驯服她。”

他微笑着，一双眸子仿佛突然变得年轻起来。

律香川也忍不住笑了。

很少有人知道老伯在女人这方面的经验也和别的经验同样丰富。

律香川忍不住大笑道：“你年轻时一定是个很好的骑师。”

老伯说道：“难道你认为我现在已不是了？”

他微笑着接道：“骑马这件事就像享受一样，只要一学会，就永远不会忘记，无论你多少年不骑，都绝不会忘记。”

律香川道：“就算不会忘记，但无论如何总会生疏些的。”

老伯面上故意做出很生气的样子，道：“你认为我现在已生疏了？要不要我试给你看看？”

律香川微笑不语。

老伯道："你知不知道现在什么地方有最好的女人？"

律香川道："我听说过一个地方，但却从来没有去过。"

老伯眨眨眼道："你说的这地方是快活林？"

律香川又显得很吃惊，说道："你也知道快活林？"

老伯笑得仿佛很神秘，悠然道："你知不知道快活林那块地是谁的？"

律香川道："听说那地方的主人姓高，别人都叫她高老大，但却是个女人，一个女人能让别人称她'老大'，并不是件很容易的事。"

老伯道："不错，她的确是个很能干的女人。她选了块很好的地方，在上面盖起了房子，做出了很大的生意，但那块地方却不是她的，只不过是她租来的！"

律香川道："她为什么不将那块地买下来？"

老伯道："因为那块地的主人不肯，无论她出多高的价钱都不肯。"

他笑得不但神秘，而且很得意。

律香川试探着问道："你知道那块地的主人是谁？"

老伯道："我当然知道，天下绝没有比我更知道的了。"

他微笑着又道："因为那块地真正的主人就是我。"

律香川也笑了，道："她若知道这件事，也许就不会选中这块地。"

老伯道："她当然不知道，没有人知道，别人都以为像我这种人做的生意，一定是饭馆、赌场、妓院这一类的生意，绝对想不到我的财产大部分是土地。"

他冷笑着接道："万鹏王也一定想不到，他可以砸去我的赌场，砸我的妓院，就算他全都砸光，还是动不了我的根本。"

律香川长长吐出口气，道："因为他无论如何也砸不坏你的地方？"

老伯道："不错，土地本是任何人都毁不了的，等到了我这种年纪，就知道世上只有土地最可靠，只有土地才是一切事的根本。"

他的想法当然很正确，但却还是忘了一件事。

无论你有多少土地，就算天下的土地都是你的，等你死了之后，也还是和别人一样，也并不能比别人多占一尺地。

也许他并不是真的没有想到，只不过不愿说出来而已，也许这就是一个垂暮老人的悲哀。

人为什么总是要自己欺骗自己、隐瞒自己？

是不是因为只有用这种法子才可以让自己活得愉快些？

老伯忽然长长叹了一声，道："我一直将你当作我的儿子，孙剑死了后，你就是我唯一的儿子，我希望你不要学他，不要令我失望。"

律香川道："他并没有令你失望，他做的事绝没有任何人能比他做得更好。"

老伯道："但是他没有儿子，他至少应该替我生个儿子。"

老伯接道："你最好赶快去找，我希望能活着看到你的儿子！"

他目中有着种说不出的寂寞和悲哀，缓缓接着道："你慢慢就会知道，一个人到了年老时若还没有后代，那种寂寞绝不是任何事所能弥补的。"

律香川沉吟着说道："但是你已有了后代，小蝶的儿子也一样可以算是你的后代。"

老伯的悲哀突又变为愤怒，厉声道："我不要那样的后代，我就算是绝子绝孙，也不要那样的野种！"

他紧握双拳，接着道："所以你一定要查出那孩子的父亲，无论他是谁，都绝不能让他活着，我的意思你明白么？"

律香川长长叹了口气道："我明白。"

律香川的确明白。

老伯痛恨那人，因为那人不但欺负了他的女儿，也伤害了他的尊严。

他觉得这种事简直是种不可忍受的侮辱。

律香川又道："你最近有没有他们的消息？"

"他们"当然就是小蝶和孟星魂！

老伯摇摇头，道："他们一定走得很远，他们一定希望能走得愈远愈好。"

律香川道："他们会走到什么地方去呢？"

老伯道："我不知道，也不想知道。"

律香川缓缓道："其实你应该知道的，因为他们现在说不定已有了孩子。"

老伯的脸色突又变了，变得很奇特。律香川凝视着他，道："假如我现在能找到他们，也许就能将那孩子带回来！"

老伯目光凝视着远方，喃喃道："小蝶很小的时候，就常常吵着我带她去看海，我一直没有机会带她去，现在她自己有机会了……"

他目中露出一丝奇特的光亮，缓缓接着道："听说在海边生出来的孩子，总是特别强壮的……"

律香川眼睛也亮，喃喃道："不错，到海边去，我若是他们，我也会到海边去………以前我为什么一直没有想到呢？"

"我们到海边去。"

"你看过海么？"

"没有，我只有做梦的时候看到过，也不知道看到过多少次。"

"你梦中的海是什么样子？"

"天是蓝的，云是白的，碧绿的海水在蓝天白云下闪着光。"

"真正的海也许比做梦中更美丽，海水比天还蓝，卷起的海涛也比云更白，阳光升起的时候，海面上就好像洒满了碎银，夕阳西下时，那一片片碎银又会聚成条彩虹。你若真的看到海，就会发现世上没有任何地方能像海变化得那么快，那么多彩多姿。"

"那还等什么，我们为什么不现在就去？"

"好，我们现在就去。"

第十八章

决战前夕

海。

沙滩洁白柔细，夕阳灿烂如金。

孩子赤着脚在沙滩上奔跑，留下了一串凌乱却美丽的足印。

小蝶也赤着脚，她的脚纤巧美丽。

现在正以最舒服的姿势摆在沙滩上，让夕阳将脚上的海水晒干。

夕阳温柔得宛如她的眼波。

孩子在海涛中欢呼跳跃，本来苍白的皮肤已晒成古铜色。

“一年来，这孩子不但已长大了很多，而且也强壮了很多。”

小蝶温柔地叹了口气，道：“在海边长大的孩子，的确总比别人强壮些。”

孟星魂也在微笑，道：“就算不比别人强壮，至少总比别人胸襟开阔。”

他苍白的脸也已渐红，看来无论身心都比以前健康得多。

现在若还有人问他：“你活过了没有？”

他一定会给那人一个很肯定的答复。

小蝶看着他的时候，眼波更温柔。

她紧握着他的手，柔声道：“这一年来，我跟孩子都过得很开心，太开心，但有时我却还是免不了有些担心。”

孟星魂道：“担心什么？”

小蝶道：“担心你后悔。”

孟星魂笑道：“后悔？我为什么会后悔？”

小蝶道：“你是男人，还年轻，还有很多事情可以做，这里的日子却实在过得太平凡，太单调。”

孟星魂柔声笑道："我也从来没有像现在这样开心过，一个人能过这种日子，还有什么不满足？"

他眨眨眼，忽又笑道："也许现在我只想做一件事！"

小蝶道："什么事？"

孟星魂附在她耳边，悄悄道："生一个我们自己的孩子。"

小蝶虽然还在笑着，但笑容似已僵硬。

这才是她真正担心的事。

他虽然也很疼爱这孩子，但他们之间却仿佛有种隔膜。

因为这毕竟不是他自己的孩子，这本是谁也无法改变的事实。

世上也许只有梦境才是完全美丽的，现实中总难免有些无法弥补的缺憾和裂痕，日子过得愈久，裂隙也愈深。小蝶垂下头，道："有件事我本来不想告诉你，但却又不忍再瞒你。"

孟星魂道："什么事？"

小蝶道："我已不会再有孩子。"

孟星魂的笑容也突然僵硬，过了很久才问道："谁说你不会再生孩子？"

小蝶黯然道："替这孩子接生的稳婆，以前本是大内中的宫女，她不但懂得替女人接生，也懂得怎么样使一个女人不能再生孩子。"

皇宫中有很多黑暗残酷的事，的确不是外人所能想象到的。

皇后为了确保自己的地位，时常不惜使出各种残酷的手段，令别的妃子不能生孩子。

孟星魂嘴唇发白，问道："她已令你不能再生孩子？"

小蝶点点头。

但孟星魂道："你要她这样做的？"

小蝶没有回答，目中却充满了痛苦之色。

孟星魂忽然明白。

接生婆自然是孩子的父亲找来的，他既然不愿让别人知道他和小蝶的关系，自然不愿小蝶再有孩子，他已决心要毁了小蝶的一生。

"这个人究竟是谁？小蝶为什么一直不肯说出来？"

孟星魂本来认为自己不会为这件事痛苦的，因为这本是他自己心甘情愿做的事！他情愿为小蝶牺牲一切。

但现在他才知道，有些痛苦你非但无法忍受，连忘都忘不了的。

小蝶凄然道："我知道你一定不会原谅我，为什么一直不肯说出他是谁。他不但害了我，也害了你，但你非但不能去找他，还要躲着他。"

孟星魂轻轻咳嗽了几声，道："我……并没有怪你！"

小蝶道："你嘴里虽这么说，心里还是一样觉得痛苦，逃避本来就是件痛苦的事，何况你逃避的又是个这么样的人。"

孟星魂叹了口气，道："但是我了解，你和他既然已有了孩子，自然难免有感情！"

小蝶泪已流下，流着泪道："你若认为我不肯说出他是谁，是为了维护他，你就错了。"

孟星魂握紧双拳，忍不住道："你难道不是？你就算不肯告诉我，为什么不肯告诉老伯？"

小蝶道："你认为我怕老伯杀了他？"孟星魂拒绝回答这句话。

小蝶流泪道："你错了，假如我能杀他，我自己早就杀了他……但我却不能告诉你，也不能告诉老伯，因为……因为……"

她还是没有说出因为什么，说到这里，她已泣不成声。

孟星魂看着她，目中的愤怒已变为怜悯，慢慢地伸出手，轻抚着她的柔发，柔声道："其实我已该知足，因为我已有了个又聪明又强壮的孩子，无论谁看到这样的孩子都会很喜欢的！"

他忽又笑道："你记不记得再过五六天就是老伯的生日？"

小蝶道："你……你怎么知道的？"

孟星魂笑了笑，道："去年他的生日，我去拜过寿，今年我们若能带着这孩子回去替他拜寿，他一定开心得要命。"

小蝶咬着嘴唇，道："你又错了，他不但恨我，也恨这孩子，因为他觉得我们丢了他的人，只要有我们在，对他就是种侮辱，所以……所以他才会把我们赶出来，而且还说，只要他活着，就不许我们回家去。"

孟星魂叹了口气，道："这次错的不是我，是你。你看错了他，他本该杀我的，但却放过了我，你知不知道为了什么？"

小蝶摇摇头。

她从没有问过这件事，从没有提起过老伯。

孟星魂道："他不杀我，就是为了你！"

小蝶道："为了我？"

孟星魂道："因为我告诉他，我一定能让你好好活下去，所以他才让我活下去！"

小蝶垂着头，沉默了很久，才忍不住问道："他为什么要杀你？"

孟星魂道："因为我本是要去杀他的！"

小蝶霍然抬头，动容道："我知道很多人都想杀他，可是你……你为什么？"

孟星魂苦笑道："因为有人收买了我，要我去杀他。"

小蝶道："谁？"

"陆漫天！"

小蝶显然更吃惊，道："但他一直是老伯最亲信的朋友！"

孟星魂道："亲信并不一定是可靠的朋友！"

小蝶道："老伯知不知道这件事？"

孟星魂笑了笑，道："老伯知道的事比任何人都多，所以我想，现在陆漫天就算还活着，那日子也一定不好过。"

小蝶沉默了很久，道："依你看，老伯身边究竟有没有可靠的朋友？"

孟星魂道："有，至少有一个。"

小蝶道："谁？"

孟星魂道："律香川！"

小蝶道："你……见过他？"

孟星魂道："我不但见过他，还吃了三碗他亲手炒的蛋炒饭。"

他又笑了笑，接着道："假如我留在那里，也一定会变成他的朋友。"

小蝶忽然不说话了。

孟星魂道："我跟他相处的时候虽然不多，却已发觉他这人有种说不出的特别味道，让你觉得无论什么事都可以信任他，无论什么事都可以交给他做。"

小蝶还是不说话。

孟星魂道："你怎么忽然不说话了？"

小蝶头又垂下，道："你要我说什么？"

孟星魂道："听说律香川很小的时候就到你们家，你当然也认得他！"

小蝶道："我认得他！"

孟星魂道："你觉得他这人怎么样？"

小蝶忽然站起来，向海边走过去。

孩子正欢呼着向她奔过来，道："娘娘，快来看，宝宝找到了个好好看的贝壳。"

小蝶迎上去，紧紧抱着孩子。

孩子亲着她的脸，忽然道："娘娘，你怎么哭了？"

小蝶揉了揉眼睛，道："娘娘怎么会哭，只不过眼睛里吹进了一粒沙子……这里的风好大，我们还是回家吧。"

她将孩子抱得更紧，夕阳将他们的影子长长地拖在沙滩上。

孟星魂看着他们，也不再说话。

夕阳暗淡，夜色渐临，渐渐将孟星魂整个人都笼罩在一片阴影里。

"有时七十个人就无疑是一支精兵雄师。"

看到这七十个人，你也许就不会对老伯的话再有怀疑！

这七十个人有高有矮，有老有少，从他们的衣着上看，身份也显然不同。

但他们却都有一点相似之处。

他们至少都很沉得住气。

秋日的阳光还是很强烈，他们已在骄阳下足足站了两个时辰，每个人都站得笔直，连指尖都没有动过。

但他们的神色还是很安详，绝没有丝毫不耐烦的样子，看来就算是要他们再站三天三夜，他们也一定还是这样子。

老伯叫他们站着，他们就站着。老伯叫他们走，他们就走，汤里他们去，火里他们去。

律香川坐在窗口看着他们，忍不住道："是不是应该叫他们去吃饭了？"

老伯摇摇头。

律香川道："难道你就叫他们一直这么样站着？"

老伯淡淡道："若连站都不能站，还能做什么大事！"

一片乌云掩住了日色。

律香川抬头看了看天色，道："看来好像马上就要下大雨了！"

老伯道："下雨最好。"

只听霹雳一声，大雨果然倾盆而落。

七十个人还是站在那里，黄豆般大的雨点，顷刻间就将他们衣衫打得湿透！

但他们还是笔直地站着，动也不动。

老伯忽然道："你为什么不叫他们去避雨？"

律香川迟疑着，道："我说的话有用么？"

老伯道："你为何不试试看？"

律香川探头出去，道："雨很大，你们不妨到饭厅去避避雨。"

一个人立刻用手盖住头，从队伍前排奔出去！

但另外六十九个人还是站着不动。

这人奔出几步，往后面看了看，脸色变了变，又慢慢地退回去。

但老伯已沉声道："于明，你过来。"

于明低着头走到窗口！

老伯看着他，微笑道："你这件衣服料子不错，手工好像也不错！"

于明身上穿的是一件蓝缎子，衣服质料剪裁都很精致。

老伯道："这样的衣服被雨淋湿实在可惜，难怪你急急要去避雨了！"

于明脸色已苍白，嗫嚅道："我……我不是这意思。"

老伯道："不是这意思，那么你是怕头被雨淋湿了？"

于明垂下头，不敢再说话。

老伯叹了口气，道："头被雨淋湿，的确是很容易伤风着凉的，你近年来日子过得很不错，的确应该好好地保重身体。"

他挥了挥手，道："快回家去洗个热水澡，喝几杯热酒，好好睡上一觉吧！"

于明目中露出恐惧之色，突然跪了下去，颤声道：“我不回去，我情愿为老伯效命战场。”

老伯微笑，道：“战场上用不着你这样的人，你的命太珍贵！”

他忽然出手，出手时脸上还带着微笑。

刀光一闪，霹雳一响。

于明的头颅已滚了下来。

老伯道：“好好地保存他这颗头颅，小心莫要被雨淋着。”

没有人敢说话，甚至没有人敢呼吸。

就连律香川鼻尖上也沁出了冷汗。老伯看了他一眼，淡淡道：“这是我生死存亡的一战。这次我带去的人，都绝对要服从命令，我一个人的命令，你明白么？”

律香川面上露出敬畏之色，垂首应道：“我明白。”

现在七十人只剩六十九个！

老伯道：“前面的十九人先进来。”

桌上摊着张地图！

飞鹏堡全图。

老伯指点着道：“这一条是飞鹏堡的护城河，河上有吊桥，平时吊桥很少放下来，你们的任务就是占据这条吊桥，明白么？”

十九个人同时点头。

老伯道：“每天正午飞鹏堡中都会有号角声响起，那就是他们守卒换班吃饭的时候，你们一听号角声响，就立刻动手，绝不能早一刻，更不能迟一刻！”

十九人同声道：“遵命！”

老伯道：“动手的日子是初七正午，所以一定要在大后天清晨赶到，先找个地方躲起来。”

他接着道：“我已替你们准备好行商客旅的衣服，路上你们最好分开来走，但首尾必须呼应，绝不可走散，更不能引起别人的注意，若有酗酒闹事、狂嫖滥赌者，杀无赦！”

十九人同声道：“属下不敢。”

老伯点点头道：“现在你们可以去准备了，吃过饭后，立刻动身。”

他挥挥手，又道：“出去时叫本属鹰组的二十二个人进来！”

这十九人出去后，律香川才忍不住问道：“你已决定初七动手？”

老伯道：“是！”

律香川道：“但初七是你的生日。”

老伯道：“我知道。”

律香川道：“今年你虽然声明不做生日，但我想还是会有些老朋友来拜寿的，所以我还是准备了些酒菜，还安排好两三百个住宿的地方。”

他笑了笑又道：“今年拜寿的人虽不会有往年那么多，但我想两三百人至少该有的！”

老伯淡淡道：“你尽管安排，若有人来，你尽管好好招待他们，而且不妨告诉他们，我已到了飞鹏堡，说不定正在跟万鹏王拼命！”

律香川道：“但为什么一定要选在你生日那一天呢？”

老伯道：“你想不到我会选在那天？”

律香川叹了口气，道：“我以为你会迟两天的。”

老伯道：“你想不到，万鹏王当然也想不到，所以我才选定这一天。”

他笑了笑，淡淡道：“那天我若战死，生日和忌辰就恰巧是同一天，你们以后要祭我的时候，岂非也省了很多麻烦？”

律香川不再说话，因为这时另外二十二个人已垂手走了进来。这二十二个人的任务是抢攻正门，吊桥一放下，就立刻进攻。鹰组的人武功比较高，轻功也不弱。但只凭二十二人就去抢攻飞鹏堡的正门，还是太冒险。第三次进来了二十个人，这二十个人轻功最高，而且每个人都精通暗器，所以他们的任务是配合鹰组的攻击，由正门两侧越墙进攻，以暗器进击堡上的守卒。

剩下的八个人担任老伯的贴身护卫。律香川又忍不住问道：“这一次行动为什么要完全由正面进击，为什么不能留一半到后路？”

他指点着飞鹏堡的全图，道：“飞鹏堡虽是山顶，但堡后还有片峭壁，若令人由后山爬上去，居上临下，抢攻飞鹏堡的后部，令他们首尾不能兼顾，岂非更妥当些？”

老伯沉下脸，冷冷道：“这次行动是谁主持？是你，还是我？”律香川不敢再说话。

但他心里却不禁更怀疑。

这次行动计划，不但太冒险，简直可以说是去送死！

因为这么做，飞鹏堡不但占尽天时、地利，人数也比这一方多得多，而且以逸待劳，完全占尽了优势。

以老伯平日的作风会订下如此愚蠢的计划来？

莫非他暗中还另有安排，所以成竹在胸？

律香川心里虽然怀疑，却不敢问出来。

老伯既然不愿说，谁也不能问。

律香川转头看窗外，喃喃道：“好大的雨……”

老伯忽然笑了笑，道：“下雨天留客天，我本来今夜就想动身，现在看来只好多留一天了。”

他也转身去看窗外的雨，喃喃道：“现在一切都已安排好了，这么多年来，我们真还很少像今天这么空闲过！”

雨下得很大，风也很大。

雨点凌乱得就好像疯子在洒水。

老伯却在看着这些雨点，仿佛觉得很欣赏。

除了花之外，老伯很少这么看别的东西，因为他觉得除了花之外，世上根本就没有值得他欣赏的东西。

假如他这么样在看别的东西，那就是说他根本没有在看，而是在思索。

他在想什么？

是不是在想应该好好利用这难得空闲的一天？

他是不是已经有了打算？

律香川迟疑着，正不知道是不是应该问他。

老伯已回过头，微笑着道：“你知不知道我今天打算做什么？”

他的微笑看来很动人。

只有在真正愉快的时候，老伯才会笑得这么动人，通常他的笑只会令人觉得恐惧。

律香川眨眨眼：“你打算做什么？”

老伯道：“你还记不记得，那天我跟你说过的话？”

律香川道：“什么话？”

老伯道：“有关马和女人的话。”

律香川道："你说骑马就像享受一样，无论多少年不骑，都不会忘记。"

老伯道："你却说就算不会忘记，但无论如何总会生疏些的。"

律香川道："所以你就想试给我看看？"

老伯微笑道："我现在还是有这意思。"

律香川笑了。

老伯道："你想不到？你觉得奇怪？"接着笑道："因为我已是个老头子？"

律香川道："但是你却比大多数年轻人都强得多。"

老伯微笑道："你应该也听说，我在年轻的时候，每次行动前的那天晚上，至少要找三四个女人，而且要叫她们一个个爬着出去。"

律香川道："我听说过。"

老伯道："每个人紧张的时候，都有他自己使自己放松的法子，我的法子就是找女人，我可以保证这种法子最有效。"

律香川道："我知道。"

老伯道："你既然知道，那么我们还等什么？走吧。"

律香川道："走？到哪里去？"

老伯道："当然是快活林，你难道认为我会去找次等女人？"

律香川道："你就算要找最好的女人，也用不着到快活林去。"

老伯道："为什么？"

律香川笑得很神秘，悠然道："因为我已经将快活林中最好的女人找来了。"

一只很大的藤箱被搬进来，箱子里睡着个女人，睡得很沉。

她当然很年轻，很美。她睡着的时候也很美，长长的睫毛盖在眼帘上，面颊上露出一双深深的笑窝。

老伯欣赏着她，就像是在欣赏一朵花。

律香川道："她姓高，叫凤凤，是高老大的干女儿。"

老伯道："高老大知不知道她到什么地方来？"

律香川道："不知道，她自己也不知道，所以我要她先睡着。"

老伯道："很好。"

律香川道："她今年才十六岁。"

老伯道："十六岁对我来说未免太年轻些。"

律香川道："你不喜欢还可以去换。"

老伯笑道："我喜欢。我自己年轻的时候，总喜欢找年纪大的女人，因为她们比较有经验；但等我老了的时候，就喜欢小姑娘了，这也许因为她们可以让我变得年轻些。"

这也正是老头子为什么喜欢找小姑娘的原因。

律香川道："这女孩子也特别可以让你觉得年轻，因为她还没有过别的男人。"

老伯道："很好，好极了。"

律香川道："她的父亲本是个饱学的秀才，所以她也念过很多书。"

老伯微笑道："我要找的是女人，不是教书先生。"

律香川道："她母亲也是个很贤惠的女人，若不是遭遇到特别的变故，她也绝不会沦落到这种地步。"

老伯道："我也不想调查她的家谱。"

律香川笑笑，道："我只不过想告诉你，她的家世不错，性情也不错，将来若是有了孩子，一定是个好母亲。"

老伯神情忽然变了，脸上忽然有了光彩。

律香川不再说话，静静地看着，等着。

老伯忽然抓住他的手，道："你认为我还可能再有个儿子？"

律香川微笑道："有人八十岁的时候还能生孩子！"

老伯慢慢地松开手，慢慢地走到窗口，目光凝视着远方。

过了很久，他缓缓道："你说她父亲是个饱学的秀才？"

律香川道："他们本是书香之家。"

老伯道："现在她父亲呢？"

律香川说道："已经去世了，父母都去世了。"

老伯道："她家里还有没有别的人？"

律香川道："她家里若还有别的人，也不会让她沦落到快活林去。"

他忽又笑了笑，道："若不是高老大特别到关外去寻觅人才，也不会找到她。"

老伯霍然回首，道："她也是来自关外么？"

律香川微笑点头，道："她本是长白山下高家村里的人。"

老伯脸上发出了红光，无论谁都可以看出他已被打动了。

律香川目光闪动，道："是不是要留下她？"

老伯大声道："当然留下，我走了之后，就让她住在这里，找几个老妈子来侍候她。"

律香川笑道："我早已找好了。"

老伯看着他，微笑着，拍着他的肩，道："有时我觉得你很可爱，有时却又觉得你有点可怕，你为什么总能猜到别人的心事？"

对一个又有钱、又孤独的老人来说，世上还有什么比生个孩子更值得高兴的事呢？

凤凤不但美，而且娇弱，娇弱得就像一朵含苞待放的鲜花。

这正是最能让老年人满意的女孩子。

因为老年人也只有在这种女孩子身上，才能表现自己的男子气概。因为他是不是真有男子气概，她根本不懂。

她只懂得呻吟、躲开、逃避、求饶！对一个老年人说来，这虽然是种发泄，是种愉快，但也无疑是场战斗。

这种战斗甚至比别的战斗更消耗体力。

老伯伏在她身上流着汗，尽力将自己的生命压出来。

他希望真的能有个孩子。

她已不再闪避，只能闭着眼睛承受，她脸上的痛苦之色渐渐减少，渐渐开始有了欢愉的表情。

老伯知道她已被征服。征服别人永远是种很奇妙的感觉。

她的手本来紧紧抓住被单，现在已放松，忽然将老伯紧紧拥抱。

她的身子也开始变得更紧，将老伯的身子紧紧夹住。

老伯的生命已被夹住。

这正是人类生命延续的时候，也正是一个男人感觉最伟大、最奇妙的时候。

在这时候，没有人会想到危险，更没有人会想到死亡。

凤凤的呻吟已变成呼喊——

就在这时，门忽然被撞开，撞得粉碎。

一条人影掠进来。

七点寒星，闪电般射入老伯的背脊！

第十九章

生死之间

石砌的墙，墙上晒着渔网。

小蝶拉着孟星魂的手，他的手已因捕鱼结网而生出了老茧。

她将他的手贴在自己温暖光滑的脸上。

繁星满天，孩子已在屋里熟睡，现在正是一天中最平静恬宁的时候，也是完全属于他们的时候。

每天到了这时候，他们都会互相依偎，听彼此的呼吸、彼此的心跳，看星星升起、浪潮落下。

然后他们就会告诉自己："我活过，我现在就正活着。"

因为他们彼此都令对方的生命变得有了价值，有了意义。

今夜的星光，和前夕并没有什么不同，但是人呢？

小蝶用他粗糙的手轻轻摩擦着自己的脸。

孟星魂忽然发觉她的脸渐渐潮湿。

"你在哭？"

小蝶垂下头，过了很久，才轻轻道："今天我从厨房出来拿柴的时候，看到你在收拾衣服。"

孟星魂的脸色苍白，终于慢慢地点了点头，道："我是在收拾衣服。"

小蝶道："你……你要走？"

孟星魂的手冰冷，道："我本来准备明天早上告诉你的。"

小蝶凄然道："我早就知道你过不惯这种生活，你走，我并不怨你，可是我……我……"

她泪珠滴落，滴在孟星魂手上。

孟星魂道："你以为我要离开你们，你以为我一走就不再回来？"

小蝶道："我不敢想，什么都不敢想。"

孟星魂道："那么我就告诉你，我一定会回来，无论什么人，无论什么事，都拦不住我。"

小蝶扑入他怀里，流着泪道："那么你为什么要走？"

孟星魂长长吐口气，目光遥视着远方黑暗的海洋，道："我要去找一个人。"

孟星魂没有回答，过了很久，才淡淡道："你记不记得前两天我在你面前提起过一个人？"

小蝶的身子突然僵硬。

孟星魂道："我发现一提起这个人，你不但样子立刻变了，连声音都变了，而且那天晚上你一直不停地在做噩梦，像是有个人在梦中扼住了你的喉咙。"

他叹了口气，黯然道："到那时我才想到，那个欺负你、折磨你，几乎害你一辈子的人，就是律香川！"

小蝶全身颤抖，颤声道："谁说是他？谁告诉你的？"

孟星魂道："用不着别人告诉我，其实早已该想到，只有他接近你的机会最多，只有他才可以令你对他全不防备，只有他才有机会欺负你！"

小蝶身子摇晃着，似已无法支持。

孟星魂拉过张竹椅，让她坐下来，又忍不住道："但我还是想不通，你为什么不肯将这件事告诉老伯呢？你本可以要老伯对付他的。"

小蝶坐在那里，还不停地发抖，不停地流泪，过了很久，才咬着嘴唇道："你知不知道他和老伯的关系？"

孟星魂道："知道一点。"

小蝶道："老伯所有的秘密他都几乎完全知道，老伯近年来的行动，几乎都是他在暗中策划的，老伯信任他，就像我信任他一样。"

孟星魂咬着牙，道："他的确是个令别人信任的人。"

小蝶道："那时候我年纪还小，什么事都不懂，将他看成自己的大哥一样。"

她眼泪如泉水般流下，似已完全无法控制。

"他对我也很好，直到有一天我发觉，只要对我多看了两眼的人，常常就会无缘无故失踪。

“我又发现这些人都已死在他手里，所以我就问他，为什么要这样做？

“他说他这样全是为了我，他说那些人对我完全没有好心。

“我虽然还是怀疑，却也有几分相信。他找我陪他喝酒，我就陪他喝了，因为我以前也陪着他喝酒。你知道，老伯并不禁止我们喝酒。

“等我醒来时，才发现……才发现……”

说到这里，她又已泣不成声。

孟星魂双拳紧握，道：“那时你为什么不去告诉老伯？”

小蝶道：“因为他威胁我，假如我告发了他，他不但要杀我，而且还要背叛老伯，将老伯所有的秘密全都告诉敌人。”

孟星魂道：“所以你就怕了？”

小蝶道：“我不能不怕。因为我知道他若背叛了老伯，那后果的确不堪设想，而且他的暗器又毒又狠，老伯常说他已可算是天下数一数二的暗器名家，他非但随时都可以杀了我，也有很多机会可以杀死老伯。”

孟星魂叹道：“你认为若是替他隐瞒了这件事，他就会忠心对待老伯？”

小蝶道：“因为他告诉我，他对我是真心的，只要我对他好，他就会一心一意地为我们孙家做事！”

孟星魂道：“你相信了他？”

小蝶道：“那时我的确相信了，因为那时我还没有看清他的真面目，还以为他是个好人，谁知他竟连畜生都不如。”

她身子开始发抖，流着泪道：“老伯常说他喝酒最有节制，只有我才知道，他常常在半夜里喝得烂醉如泥，而且一喝醉就会无缘无故地打我，折磨我，但那时我发觉已太迟，因为……因为我肚里已有了他的孩子。”

她的声音嘶哑，断断续续地说了很久，才总算将这段话说完。

说完后她就倒在椅上，似已完全崩溃。

孟星魂似乎也将崩溃。

小蝶忽又跳起来，拉住他的手，道：“你能不能不去找他？现在我们岂非过得很好？像他那种人，老天自然会惩罚他的。”

孟星魂断然道：“不行，我一定要去找他。”

小蝶嘶声道：“为什么……为什么？”

孟星魂道："因为我若不去找他，我们这一辈子都要活在他的阴影里，永远都好像被他扼住脖子。"

小蝶掩面而泣，道："可是你……"

孟星魂打断她的话，道："为了我们，我要去找他；为了老伯，我也非去找他不可。"

小蝶道："为什么？"

孟星魂道："因为你是老伯的女儿，因为老伯也放过我一次，我不能不报答他！"

小蝶失声道："你认为他会对老伯……"

孟星魂道："我记得老伯对我说过一句话。"

小蝶道："他说什么？"

孟星魂道："他说只凭陆漫天一个人，绝不敢背叛他，幕后必定还另有主使人。"

小蝶道："你认为主使背叛老伯的人就是律香川？"

孟星魂恨恨道："他既然对你做出这种事，还有什么事做不出的？"

小蝶道："可是……可是他接近老伯的机会很多，以他的暗器功夫，时常都有机会暗算老伯，他为什么一直没有下手呢？"

孟星魂沉吟着，道："也许他一直在等机会，不敢轻举妄动，也许他知道老伯的朋友很多，而且都对老伯很忠心，也怕别的人找他报复！"

他想了想，接着又道："最重要的，他背叛老伯显然是为了老伯的地位和财产，所以他一直要等老伯将一切交给他之后才会下手，所以这些年来，他一直用尽各种方法，使得老伯对他愈来愈信任。"

小蝶的眼泪忽然停止，悲哀和痛苦忽然已变为恐惧。

孟星魂长长叹了口气，道："我只希望现在赶去还来得及。"

小蝶咬紧嘴唇，嗄声道："但你要小心他的暗器，他的暗器实在太可怕……"

暗器已射入老伯的背脊。

自欢乐的巅峰突然跌入死亡，那种感觉很少有人能想象得到。

就算老伯都不能。

但现在他却已感觉到——就算感觉到也形容不出。

忽然自高楼失足，忽然自光明跌入黑暗的无底深渊……就连这些感觉都没有老伯现在所体验到的感觉可怕。

因为他已看到站在他床前的赫然是律香川。

正是他最信任的人：他的朋友，他的儿子。

律香川脸上一点表情都没有，冷冷地看着他，忽然道："我用的是七星针。"

老伯咬紧牙，已可感觉到自己的指尖冰冷。

律香川道："你常说我的七星针已可算是天下暗器第一，连唐家的毒砂和毒蒺藜都比不上，因为那两种暗器还有救，七星针却没有解药。"

他淡淡一笑，慢慢地接着道："现在我只希望你的话没有说错。"

老伯忽然笑了，道："你几时听我说错过一句话？"

律香川道："你没有，所以你现在只有死！"

老伯道："那么你为何还不动手？"

律香川道："我为什么要着急？现在你岂非已是死人了么？"

老伯道："你要看着我慢慢地死？"

律香川道："这机会很难得，我不想错过！"

老伯的呼吸已渐渐急促，道："我有什么地方亏待了你？"

律香川道："没有。"

老伯道："那么你为何如此恨我？"

律香川道："我不恨你，我只不过要你死，很多没有亏待过你的人，岂非都已死在你手上？"

他又笑了笑，道："这些事都是我向你学来的，你教得很好，我也学得比你自己更好，因为我从未忘记你说过的话，你自己却忘记了！"

老伯道："我忘了什么？"

律香川道："你常常告诉我，永远不能信任女人，这次为什么忘了？"

老伯低下头。

凤凤还在他身下，苹果般的面颊已因恐惧而发青。

老伯目中露出了杀机，道："我还说过一句话，只有死女人才是可以信任的女人。"

律香川道："现在七星针药力还没有完全散发，我知道你还有力量杀她，但你最好莫动手。"

老伯道："为什么？"

律香川的笑容残酷而邪恶，淡淡道："因为现在她肚里可能已有了你的儿子。"

老伯如被重击，仰天跌下。

律香川道："你最好就这样躺着，这样药力可以发得慢些。"

他忽然接着道："能多活一刻总是多活一刻的好，因为你永远想不到什么时候会有奇迹出现，这也是你说过的话，是么？"

老伯道："我说过。"

律香川道："只可惜这次你又错了，这次绝不会有奇迹出现的。"

老伯道："绝不会？"

律香川道："绝不会。因为根本没有人知道你在这里，根本没有人可能来救你，你自己显然更无法救得了你自己。"

老伯忽又笑了笑，道："莫忘记我还说过一句话，世上本没有'绝对'的事。"

律香川道："这次却是例外。"

老伯道："哦？"

律香川道："这次你就算能逃走，也没有七星针的解药，何况你根本没法子逃走。"

老伯道："绝对没法子？"

律香川道："绝对。"

老伯沉默了半晌，道："那么你现在就不妨告诉我几件事好了！"

律香川道："你问吧。"

老伯道："你是不是早已和万鹏王有了勾结？我和他之间的争执，根本就是你早已预先安排好了的？"

律香川道："也可以这么说。"

老伯道："这样做对你有什么好处？"

律香川道："因为只有万鹏王这样的强敌，才可以令你心慌意乱，等你发觉朋友一个个倒下来的时候，就不能不更倚仗我，而将秘密慢慢告诉我，等我完全知道你的秘密之后，才能够取代你的地位。"

老伯道："你不怕万鹏王再从你这里将我的财产抢走？"

律香川道："这点你用不着担心，我当然早已有对付他的法子。"

他笑了笑，接着又道："也许你不久就可以在地下看到他。那时候，你们说不定反而会变成了朋友呢！"

老伯叹了口气，道："那次我要你到大方客栈去杀韩棠，你当然早已知道韩棠死了。"

律香川笑道："我怎么会不知道？若没有我，屠大鹏他们怎会知道韩棠是你的死党，怎能找得到韩棠？"

老伯道："这样说来，冯浩当然也早已被你收买？"

律香川道："他的价钱并不太高！"

老伯道："你的老婆呢？"

律香川道："她只不过是为我替罪的一只羔羊而已，我故意要她养鸽子，故意要冯浩将鸽子带给你看，故意让你怀疑她。"

老伯道："然后你再要冯浩杀了她灭口。"

律香川道："我早已算准你会叫冯浩去做这件事，你岂非一直都很信任他？"

老伯沉默了半晌，道："孙剑的死，当然也是你安排的！"

律香川淡淡道："这句话你根本就不该问。"

老伯咬咬牙，又道："陆漫天呢？"

律香川道："他本不必死的，只可惜他太低估了孟星魂。"

他又笑笑，接着道："绝不要低估你的对手，这句话也是你说的，他忘了，所以不得不死！"

老伯忽然也笑了笑，道："你好像也忘了我说的一句话。"

律香川道："哦？"

老伯道："我说过天下没有'绝对'的事，你却一定要说我绝对没法逃走。"

律香川脸色变了变，道："你有什么法子？"

老伯微笑着道："我只希望你相信一件事，那就是我的话绝没有说错的！"

他的笑容忽又变得很可怕。

律香川的瞳孔忽然缩小，冷冷道："也许我现在就该杀了你！"

老伯微笑道："现在已太迟了！"

他的人忽然从床上落下去，忽然不见了。

凤凤也跟着落下去，跟着不见了。

“夺、夺、夺……”一连串急响，十数点寒光打在床上。

但床上却已没有人。

“绝不要将你所知道的全部教给别人，因为他学全了之后，说不定就会用来反击你，所以你至少也该留下最后一招。”

“这一招往往会在最必要的时候救你的命！”

这当然也是老伯说过的话，但律香川并没有忘记。

老伯说的每句话他都牢记在心，因为他深知这些话是从无数次痛苦经验中得来的教训。

只可惜他始终不知道老伯留下的最后一招是什么。

他做事不但沉着谨慎，而且思虑周密，多年前他就已有了这计划，直到认为绝对有把握才动手，其间他已不知将这计划考虑过多少次，每一种可能发生的情况他都曾仔细想过。

他确信老伯在这种情况下绝无逃走的可能。

在此之前，他当然也曾到老伯这寝室来过，将这屋子里每样东西都详细检查过一遍，尤其这张床。

“在床上杀老伯。”

这本是他计划中最主要的一部分，因为他知道只有在老伯身无寸铁的时候下手，才有成功的机会。直到前两天，他还将这张床彻底检查过一次。

在关外长大的人，都习惯睡硬炕，老伯也不例外，所以这是张很硬的木板床，也是张很普通的木板床。

床上绝没有任何机关。

他并不是没有提防老伯会从床上逃走。

直到老伯中了暗器之后，他还是没有松懈，一直都在密切注意老伯的行动。

老伯根本没有动！

床上既没有机关，老伯也没有任何动作，他怎么可能逃走呢？

律香川想不通。

他不但惊惶，而且愤怒，愤怒得全身发抖。

他愤怒的不是别人，而是自己。

他恨自己为什么会让这种事发生，为什么会如此愚蠢疏忽。

床上的薄被也不见了，木板很厚、很结实，就跟这间屋子的门一样。

律香川也曾将这种木料仔细研究过，而且曾经在暗中找来很多这种门板的木料，做成和这屋子相同的门，自己偷偷地练习过多次，直到他确定自己可以一举破门而入时才罢手。

甚至在此时看来，这张床，还是很普通的一张床。

他还是找不到任何机关。

但老伯明明已逃走了。

律香川双拳紧握，突然出手。

“砰！”床上的木板也和门一样，被他一拳打得片片碎裂。

他终于发觉了床下的秘道。

他几乎立刻就要跳下去。

但他虽然紧张惊怒，却还没有失去理智，行动之前还是很谨慎小心，没有将情况观察清楚之前，绝不出手。

他已疏忽了一次，绝不能再有一次。

地道下黑漆漆的，伸手不见五指。

律香川什么都看不到，却听到了一种很奇怪的声音。

是流水声。

老伯寝室的地下，竟有条秘密的河流。

律香川移过灯火，才看出这条河流很窄，窄而弯曲，却看不出水有多深，也不知通向哪里。

两旁是坚固的石壁，左边的石壁上，有个巨大的铁环，挂着很粗的铁链，石壁上长着青苔，铁环也已生锈，显见老伯在建造这屋子之前，就已先掘好了这条河流。

河上既没有船，也没有人。

但律香川却已知道，这下面本来一定有条船，船上一定有人。

不但有人，且终年都有人，时时刻刻都有人。

这人随时随刻都在守候着，等着老伯的消息。

他们之间当然有种极特别、极秘密的方法来通消息。

老伯也许永远都没有消息，也许永远用不着这条秘路、这个人。但是他必须要有准备，以防万一。

“每个人都一定要为自己准备好一条最后的退路，你也许永远不会走到那一步，但你必须要先有准备。

“因为你永远不知道自己什么时候才会走到那一步，那种情况就像是抽筋，随时随地都会来的，让你根本没有防备的机会。”

律香川不由自主又想起了老伯的话。他紧咬着牙，牙龈已在流血。

第二十章

暗夜之会

律香川恨自己为什么总是不能脱离老伯，他忽然觉得自己就像是一棵树上的藤萝，虽然长得很长，长得很快，但却总是要依缠着这棵树，总是要活在这棵树的阴影中。

老伯就是这棵树。

这张床的确没有机关，机关在床底下。

床底下守候着的人，一得到老伯的消息，立刻发动机关。

于是，床上的木板立刻就会像门一样向下开展，老伯立刻就会从床上落下去，直接落在下面的船上。

船立刻就划走，用最快的速度划走。

划船的人必定早已对这弯曲复杂的河路非常熟悉。何况，在水上，除了鱼之外，还有什么能比船更快的？

律香川知道现在无论谁都休想再追上那条船，他当然不会做这种愚蠢的事。

做了也没有用的事，就是愚蠢的事。

律香川慢慢地转过身，将手里拿着的灯放回桌上，慢慢地走出去。

外面就是老伯私人会客的小厅。

他走出去，轻轻关上门，关紧，锁住。

他不希望再有别人走进这屋子来。

今天在这里发生的事，最好永远没有别人知道。

夜并不深，但花园里已很静。

律香川走出来，站在一丛菊花前，深深地吸了一口气。

风中带着菊花的香气，芬芳而清新。

清新芬芳的空气，仿佛总是有种能令人静下来的神奇魔力。

"现在我应该怎么做呢？"

现在律香川只希望一件事。

"七星针的毒性发作得虽慢，但却绝无解药，无论谁中了七星针，就只有等死。"

律香川只希望老伯这句话也像其他那些同样正确。

小径上传来脚步声，走得很快、很匆忙。

律香川回过头就看到冯浩。

黑夜中他看不出冯浩的面色，只看出他一双眸子里充满了紧张兴奋之意。

律香川面上却全无表情，淡淡道："你已安排他们吃过饭了么？"

冯浩点点头。

他喉结上下滑动着，嘴里又干又苦，过了很久，长长吐出口气，才能说得出话来，但声音还是嘶哑干涩。

他勉强笑着道："他们吃得很香，好像早已知道那是他们最后的一顿饭。"

"他们"就是老伯最后留下来，准备做他贴身护卫的八个人。

能做老伯护卫的人，平时做事当然也极谨慎小心。

但他们却想不到在这里吃的酒菜中会有毒，死也想不到。

冯浩又道："他们现在还在饭厅里，库房里的棺材已只剩下五口。"

律香川道："用不着棺材。"

冯浩道："不用棺材怎么埋葬？"

律香川道："火葬。"

冯浩沉吟着，嘴角露出微笑，他终于明白了律香川的意思。

只有火葬才完全不留痕迹。

这件事最好完全没有任何痕迹留下来。

冯浩笑道："我这就吩咐人去通知他们的家属，就说他们是得急病死的。"

律香川沉下脸道："八个人同时得了急病？"

冯浩垂下头，道："不是急病，是被十二飞鹏帮杀死的。"

律香川这才点了点头。

冯浩嗫嚅着，又道："但老伯在的时候，对战死的人，他们的家属都有抚恤，每人一千两。”

律香川道：“现在规矩改了，每人两千两。”

冯浩深深吸了口气，道：“加了一倍？”

律香川道：“钱不是你的，你用不着心疼。”

冯浩垂首道：“是！”

律香川道：“你想赚得多，就得花得多，只有会花钱的人才能赚得到更多的钱，这道理你不明白？”

他忽然发现这也是老伯说过的话，冯浩忽然发现他变了，变得更有威严，变得更像老伯。

但冯浩知道律香川是永远无法变成另一个老伯的。

律香川也许会比老伯更冷静，手段也许比老伯更冷酷，但老伯还有些地方，却是律香川永远学不会的。

冯浩情不自禁，悄悄叹了口气。

律香川忽然道：“你是不是后悔，后悔不该跟着我？”

冯浩立刻赔笑道：“我怎么会有这种意思——我只不过想到先走的那三批人，他们都是老伯的死党。”

律香川道：“你用不着担心他们，我已在路上安排了人照顾他们，而且一定会照顾得很好。”

冯浩迟疑着，又忍不住问道：“老伯是不是已经病了？”

律香川道：“是风湿病，病得很重。”

冯浩道：“是，我知道！”

暂时绝不能让外人知道老伯的死讯，这也是律香川计划中的一部分。

冯浩道：“我现在就去安排饭厅里的尸身。”

律香川打断了他的话，道：“你不必去。”

他脸色忽然变得很和缓，道：“这两年来，你已为我做了很多事，出了很多力气，我也应该让你歇下来，好好享受了。”

冯浩赔笑道：“其实我以前做的那些事都轻松得很，并不吃力。”

律香川道：“你杀林秀的时候也轻松得很？”

冯浩面上的笑容忽然凝住。他忽然发现律香川看着他的时候，目光锐利如刀。

律香川脸上又露出了微笑，道：“我知道她武功并不高，你杀她当然轻松得很。”

冯浩垂下头，讷讷道：“我本不敢下手的，可是你……”

律香川淡淡道：“你用不着提醒我，我记得是我自己要你杀了她灭口的！”

冯浩不敢再说话。

律香川忽又沉下脸，一字字道：“但你强奸她，也是奉了我的命令吗？”

冯浩脸色立刻变了，变得全无血色，应声道：“我……我没有……”

律香川冷笑道：“没有？你以为我不知道？”

他笑得比老伯更可怕，慢慢地接着道：“你是男人，她是个不难看的女人，你做出这种事我并不怪你，但有件事却不该做的。”

冯浩道：“什……什么事？”

律香川道：“你不该将她的尸身随便一埋就算了，既然做出这种事，就不该留下痕迹，犯了这种错误，才真的不可原谅。”

冯浩突然跃起，想逃。但他身子刚掠起两尺就跌下，双手掩住了小腹，痛得在地上乱滚。

他并没有看到律香川是怎么出手的，甚至连暗器的光都没有看到，他只觉小腹下一阵刺痛，就好像被毒蝎子刺了一下。

这种痛苦没有人能忍受。他现在才知道自己犯了个致命的错误！

他本不该信任律香川。

一个人若连自己妻子都忍心杀死，还有什么事他做不出的？

律香川看着他在地上翻滚挣扎，看着他慢慢地死，目光忽然变得很平静。

“每一个人愤怒紧张时，都有他自己发泄的法子。”

能令别人看不到的暗器，才是最可怕的暗器。

能令别人看不出他真正面目的人，才是最可怕的人。

夜已深。

老伯的花园十余里外，有个小小的酒铺。

如此深夜，酒铺当然早已打烊，但路上却忽然有一骑快马奔来。

马上人骑术精绝，要马狂奔，马就狂奔，要马停下，马就停下。他指挥马的四条腿，就好像指挥自己的腿一样。

马在酒铺门外停下时，人已下马。

人下马时，酒铺的门就开了。

从门里照出来的灯光，照上了他的脸。

一张苍白的脸，非常清秀，非常安详，甚至显得柔弱了些。

但他的一双眼睛却出奇地坚决而冷酷，和这张脸完全不衬，看来简直就像是另一人的眼睛——律香川。

如此深夜，他为什么忽然到这种地方来？

他本该去追踪老伯，本来还有很多事应该去做，为什么要连夜赶到这里来？

开门的是个二十多岁的年轻人，短衣直缀，满身油腻，任何人都可以从他的装束上看出他是个小酒铺里的小伙计。

但除了衣着装束外，他全身上下就没有一个地方像是个小伙计。

他举着灯的手稳定如石，挥刀杀人时显然也同样稳定。

他的脸方方正正，看样子并不是个很聪明的人，但神情间却充满自信，一举一动都很沉着镇定。

他的嘴通常都是闭着的，闭得很紧，从不说没有必要的话，从不问没有必要的事，也没有人能从他嘴里问出任何事来。

他叫夏青，也许就是律香川在这一生中最信任的人。

律香川信任他有两点原因。

第一，因为他是律香川在贫贱时的老朋友，他们小时候曾经一起去偷过，去抢过，也曾经一起挨过饿，天气很冷的时候，他们睡觉时拥抱在一起，互相取暖。

可是这一点并不重要，第二点才是最重要的。

从一开始他就比不上律香川，无论做什么都比不上律香川，两人一起去偷东西时，被人抓住的总是他，挨揍的也总是他。等他放出来时，律香川往往已快将偷来的银子花光了，他也从不埋怨。

因为他崇拜律香川，他认为律香川吃得比他好些，穿得比他好些，都是应当的，他从不想与律香川争先。

律香川叫他在这里开个小酒铺，他非但毫无埋怨，反而非常感激，因为若不是律香川，他说不定已在街上要饭了。

桌上摆的酒菜当然不是平时给人们吃的那种酒菜，菜是夏青自己做的，酒也是特别为律香川所准备的。

这小酒铺另外还用了个厨子，但夏青炒菜的手艺却比那厨子好得多。

律香川还没有坐下，就将桌上的一壶酒对着嘴喝了下去。

“律香川喝酒最有节制，从来没有喝醉。”

若是别人看到他这么喝酒，一定会觉得惊异，但夏青却已看惯了。

他常常看到律香川在这里喝得烂醉。

律香川总是半夜才来，快天亮时才回去。

喝下一杯酒，他才坐下来，忽然道：“今天你也来陪我喝两杯！”

夏青道：“不好。”

律香川道：“有什么不好？”

夏青道：“被人看到不好。”

律香川道：“这种时候，怎么会有人看到？”

夏青道：“万一有呢？”

律香川点点头，目中露出满意之色。

这就是夏青最可靠之处，他做事规规矩矩，小心翼翼，无论在什么时候，无论在什么情况下，都绝不会改变的。

喝下第二杯酒，律香川忽然笑了笑，道：“你还记不记得小时候我曾经答应过，我若有了很多很多钱时，一定替你娶个很漂亮的老婆？”

夏青道：“我记得。”

律香川道：“你就快有老婆了，而且随便你要多少个都行。”

夏青道：“一个就够了。”

律香川笑道：“你倒很知足。”

夏青道：“像我这样的人，不能不知足。”

律香川道：“我这样的人呢？”

夏青道：“你可以不知足。”

律香川道：“为什么？”

夏青道：“因为你不知足，就会去找更多钱、更多老婆，而且一定能找到；我若不知足，也许就连一个老婆都没有了。”

律香川笑道：“很久以前，你就认为我以后一定会爬得很高，但你还是猜不到我现在已爬得多高，绝对猜不到。”

这时远处忽然又有蹄声传来，来得很急。

律香川眼睛更亮了，道："快去多准备副杯筷，今天还有个客人要来！"

夏青并没有问这客人是谁，因为律香川到这里来喝酒的时候，客人总是那同样的一个，根本就从没有请过第二个客人。

那人一共也只来过两次，每次来的时候总是用黑巾蒙着面目，连喝酒的时候都不肯将这块黑巾摘下来。

似乎夏青连他长得什么样子都不知道，只知他是个男人，年纪好像已不小，说话的声音很有威严，身材也很高大壮健，但行动却非常轻捷矫健。

他骑来的马虽然总是万中选一的良驹，但还是已累得快倒下去，马屁股上鞭痕累累，显然是从很远的地方连夜赶来的，而且赶得很急。

可是来了后，最多只说几句话，只喝几杯酒，就又要赶回去。

第二次来的时候，马已换了一匹。

夏青总认为上次骑来的那匹马，一定已被他骑得累死了。

奇怪的是，这次来的人，好像不止一个。

蹄声急骤，最少有三骑。

第一个进来的，还是以前来过的那个人，脸上还是蒙着块黑巾，只露出一双闪闪发亮的眼睛。

你只要看到这双眼睛，就能看出他一定是个地位很高，时常命令别人，却不喜欢接受别人命令的人。

一个人到了这种地位，本不必再藏头露尾，鬼鬼祟祟地做事。

他到这里来见律香川，当然绝不会是来聊天喝酒的。

夏青虽不愿管别人的闲事，但他已想到他和律香川之间，必定在进行着某种极秘密的阴谋。

所以每次只要这人一来，夏青就会立刻躲到后面自己的小屋去。

这次也不例外，他一向很明白自己的地位，一向很知趣。

他走出去的时候，又看到两个人走进来，脸上也蒙着黑巾，行动也很矫健，每人手里都提着两只很大的包袱。

包袱里是什么？

夏青虽然也有点好奇，但还是走了出去，随手将门也关了起来。

“你知道的事愈多，麻烦也愈多。”

这是律香川说的话，律香川说过的每句话，夏青都牢记在心，就好像律香川永远记得老伯说的话一样。

包袱放在地上，并没有发出很响的声音。

提包袱进来的人，也已退了出去。

房里只剩下两个人，两个人都是站着的，都没有开口，但眼睛里却都有种奇特的表情，糅合了紧张期待和兴奋。

过了很久，蒙面人才轻轻咳嗽了两声，慢慢地问道：“你那边怎么样？”

这句话他问得很吃力，仿佛生怕对方的答复会令自己失望。

律香川道：“很好。”

蒙面人目中的紧张之色消失，却还是有点不放心，所以又追问了一句：“有多好？”

律香川道：“你说有多好，就有多好。”

蒙面人这才松了口气，道：“想不到那么难对付的人也有今天。”

律香川淡淡道：“我早就想到了。”

蒙面人点点头，笑道：“你的计划的确无懈可击。”

律香川道：“你那边呢？”

蒙面人没有回答，却将地上的四个包袱全都解开。

包袱里没有别的，全是衣服，每件衣服上多多少少都染着些血渍。

律香川认得这些衣服，这些衣服本是他亲手为老伯派出去的那些人准备的。

他目中的紧张之色也消失，却也还是不大放心，所以又追问道：“有多少套衣服？”

蒙面人道：“六十一套。”

六十一个人，六十一套衣服，这表示老伯精选的七十个人已没有一个留下来了。

律香川也松了口气，道：“这些人也并不是好对付的。”

蒙面人叹了口气道：“的确不好对付。”

律香川道：“你花的代价想必不小。”

蒙面人道：“一万两银子，六十一条命。”

律香川笑了笑道："银子可以赚得回来，命是别人的，这代价并不能算太大。"

蒙面人也笑了笑，道："不错，再大的代价都值得。"

律香川道："他们还有没有什么留下来的？"

蒙面人道："没有，人已烧成灰，灰已撒入河里，这六十一个人从此已从世上消失。"

律香川道："就好像根本没有生下来过一样！"

蒙面人道："完全一样。"

律香川笑道："我果然没有交错朋友。"

蒙面人也笑道："彼此彼此。"

律香川道："请坐。"

蒙面人坐下来，忽又笑道："普天之下，只怕谁也不会想到我们两个人会是朋友。"

律香川道："连万鹏王都想不到。"

蒙面人道："连老伯都想不到。"

两人同时大笑，同时举杯，道："请。"

蒙面人道："老伯已死，此间已是你的天下，我在这里还用得着怕别人吗？"

律香川道："用不着！"

蒙面人大笑，突然摘下了蒙面的黑巾，露出了他的真面目——屠大鹏!

律香川笑道："老伯此刻若在这里，看到你真面目，一定会大吃一惊，他至死都以为我勾结的是万鹏王。"

屠大鹏道："就凭这一点，已值得你我开怀畅饮。"

律香川道："却不知什么时候，你才能请我到飞鹏堡去痛饮一场？"

屠大鹏微笑道："快了，快了……"

律香川道："这一年来，万鹏王想必对你信任有加。"

屠大鹏笑道："那也多亏了你。"他说的并不是客气话。

律香川将老伯这边的机密泄露给他，所以只要他一出手，就一定马到成功。

孙剑、韩棠，是老伯手下最可怕的两个人，就全都是死在他手上。

十二飞鹏帮能够将老伯打击得全无回手之力，几乎完全是他一人之力，在这种情况下，万鹏王又怎么不对他另眼看待，信任有加？万鹏王做梦也想不到，他这样做的真正用意！

“他愈信任你，你杀死他的机会愈大。”

律香川利用屠大鹏来打击老伯，是为了让老伯更信任他，他才有机会杀老伯。

屠大鹏利用律香川来打击老伯，却是为了要让万鹏王更信任他，他才有机会杀万鹏王。

两人的情况虽不同，但目的却是一样的，结果当然也一样。

律香川的计划非但无懈可击，而且简直巧妙得令人无法思议。

他故意激怒万鹏王，让万鹏王向老伯挑战。这一战还未开始，胜负就早已注定。

胜的既不是老伯，也不是万鹏王，而是律香川。

律香川微笑道：“只可惜万鹏王永远也不会知道他在这场戏里扮演的是什么角色。”

屠大鹏笑道：“我在他临死前也许会告诉他，他自以为是不可一世的英雄，其实却只不过是个傀儡。”

律香川道：“你准备什么时候动手？”

屠大鹏道：“现在老伯已死，傀儡也无用了，我随时都可以动手，也许就在明天。”

律香川道：“明天不行，最少要等到初八。”

屠大鹏道：“为什么？”

律香川道：“因为初七是老伯的生日，也是他准备进攻飞鹏堡的日子。”

屠大鹏道：“我知道。”

律香川道：“你知不知道他准备用多少人进攻飞鹏堡？”

屠大鹏道：“连他自己好像也只有七十个人。”

律香川道：“你不觉得奇怪？”

屠大鹏道：“我只觉得他未免对万鹏王估计得太低了。”

律香川道：“老伯最大的长处，就是从不低估他的对手。”

屠大鹏道：“那么他就是将自己估计得太高。”他笑了笑，接着道：“凭七十个人就想进攻飞鹏堡，简直是去送死。”

第二十一章

借刀杀人

律香川道："老伯虽不重视人命，但也绝不会让自己的属下白白去送死。"

屠大鹏道："难道你认为他很有把握？"

律香川道："老伯绝不会做没有把握的事。"

屠大鹏道："那么依你看——"

律香川道："依我看，除了这七十个人之外，他必定还在暗中另外安排了一批人，这批人才是他真正攻击的主力。"

屠大鹏道："这七十个人呢？"

律香川道："这七十个人的确是老伯准备拿去牺牲的，但却不是白白地牺牲。他要这些人自正面抢攻，为的不过是转移万鹏王的注意力，他才好率领另外那批人自后山进攻，让万鹏王腹背受敌。"

屠大鹏道："你认为他用的是声东击西之计？"

律香川道："那本是老伯的拿手好戏。"

屠大鹏沉吟着，道："也许他只不过是情急拼命，所以孤注一掷？"

律香川道："绝没有人比我更了解老伯，我的看法绝不会错，何况他并没有到拼命的时候，他留下的赌本比你我想象中都多得多。"

屠大鹏道："但是你也并不知道他准备的另外一批人在哪里。"

律香川道："就因为我不知道，所以才要等到初八。"

屠大鹏道："我还是不太懂。"

律香川道："老伯当然早和那批人约好了在初七正午时出手！"

屠大鹏道："当然。"

律香川道："但老伯的死讯除了你我之外，并没有别的人知道，那批人当然也不知道。"

屠大鹏道："不错。"

律香川道："他们既然不知道这里发生的变化，到了初七那一天的正午，就一定会依约出手。"

屠大鹏眼睛渐渐亮了，道："不错。"

律香川道："但那时已没人接应他们，他们若自后山跃入飞鹏堡，岂非自己往油锅里跳？"

屠大鹏展颜笑道："也许往油锅里跳还舒服些，至少能死得快些。"

律香川道："这批人显然已是老伯最后的一股力量，这批人一死，老伯的力量才真正全部瓦解。"

屠大鹏笑道："这批人一死，你就更可以稳坐钓鱼台，高枕无忧了。"

律香川笑了笑，道："这对你，也并没有坏处。"

屠大鹏道："我喜欢听对我有好处的事。"

律香川道："这批人既然是老伯攻击的主力，自然不会是弱者。"

屠大鹏叹了口气，道："他准备拿去送死的人，已经不是弱者了。"

律香川道："所以万鹏王就算能将他们全部消灭，自己想必也难免元气大伤。"

屠大鹏道："伤得一定不轻。"

律香川悠悠道："现在在飞鹏堡里守卫的，大多是万鹏王的死党，他们的元气伤得愈重，你下手岂非也愈容易？"

屠大鹏拊掌笑道："我现在才发现你最大的长处，就是无论做什么都从不只替自己着想，你若有肉吃，我一定也有。"

律香川微笑道："一个人若只顾着自己吃肉，往往连骨头都啃不到。"

屠大鹏道："今天是初五，距离初八也只有三天了。"

律香川道："三天并不长。"

屠大鹏笑道："我连三年都等过去了，为什么不能再等三天？"

云淡星稀，夜已将尽。

律香川坐在马上，望着前面笔直的道路。

路很长，但他毕竟已快到目的地！

前面的土地宽广辽阔，甚至在这里已可闻到花的香气。

一个人独自走过这么长的一条路，并不容易。

律香川叹了口气："一个人在得意的时候，为什么也总是会叹气呢？"

他忽然看到一辆马车从路旁的树林中冲出来，拦在路中间。

车窗里伸出了一只手。

一只非常美的手，手指纤长。

律香川勒住了马，静静地看着这只手，脸上一点表情也没有。

他认得这只手。

这只手若是伸了出来，就很少会空着收回。

"拿来！"

这两个字通常都不大好听，很少有人愿意听到别人对自己说这两个字，但这声音实在太柔，甚至在说这两个字的时候都很悦耳。

律香川道："你要什么？"

车厢中人道："你知道我要的是什么。"

律香川道："你不该到这里来要的。"

车厢中人道："我本来一直在等你的消息，你没有消息。"

律香川道："所以你就该再等下去。"

车厢中人说道："但没有消息，往往就是好消息。"

律香川笑了，突然下马，拉开车门走上去。

车厢中斜倚着一个人，明亮的眼睛，纤细的腰肢，谁也看不出她的年纪。在这种朦胧的光线中，她依然美得可以令人停止呼吸。

高老大。

一年不见，她居然反而像是年轻了些。

律香川看着她发亮的眼睛，微笑道："你又喝了酒？"

高老大道："你认为我喝了酒才敢来？"

律香川道："酒可以壮人的胆。"

高老大道："不喝酒我也会来，无论谁只要答应过我的，就一定要给我。"

律香川道："我答应过什么？"

高老大道："你答应过我，只要老伯一死，就将快活林的地契给我。”

律香川道：“你那么想要这张地契？”

高老大道：“当然，否则我怎么肯用一棵活的摇钱树来换？”

律香川道：“你说得很坦白。”

高老大道：“一向坦白。”

律香川道：“但你跟别人说话时，好像并不是这样子。”

高老大道：“什么样子？”

律香川道：“别人都说你很会笑，笑得很甜。”

高老大道：“我谈生意的时候从来不笑。”

律香川道：“你跟我只有生意可谈？为什么不能谈谈别的？”

高老大道：“因为你本就是个生意人。”

律香川道：“生意人也有很多种。”

高老大道：“你就是只能谈生意的那一种。”

律香川道：“莫忘了地契还在我手里。”

高老大道：“我不怕你不给我。”

律香川道：“你有把握？”

高老大道：“若没有把握，我就不会来了。”

律香川道：“你不知道这里是谁的地方？”

高老大道：“本来是老伯的，现在是你的。”

律香川道：“你不怕我杀了你？”

高老大道：“你为何不试试看？”

她一直斜倚在那里，连姿态都没有改变过。

律香川瞪着她，她也瞪着律香川。

两个人的脸上连一点表情都没有。

马车却已在往前走，往老伯的花园里走。

律香川道：“你要跟我回去？”

高老大道：“我已跟定了你，不拿到那张地契，你走到哪里，我就跟到哪里。”

律香川忽然笑了笑，道：“看来你真的一点也不怕我。”

高老大道：“我若怕你，一开始就不会跟你谈这生意。”

律香川道：“这生意并没有吃亏。”

高老大道："但也没有占便宜，占便宜的是你。"她冷冷地接着道："我牺牲了孟星魂，牺牲了凤凤，只不过换来一张地契，你呢？"

律香川忽然大笑。

高老大忍不住问道："你笑什么？"

律香川道："你等等就知道我笑的是什么。"

马车已驶入花园，停下。

律香川开车门走出去，道："跟我来，我带你去看样东西。"

他穿过菊花丛中的小径，走向老伯的屋子。

高老大跟着他。

门上的锁在曙色中闪着光，律香川开了锁，穿过小厅，走入老伯的卧房，那张碎裂的大板床还是老样子，桌上的灯却已熄了。

用不着灯光，甚至用不着回头去看，他也可以想象出高老大面上的表情。

过了很久，高老大才长长吸了口气，道："这是什么意思？"

律香川道："这意思就是老伯并没有死。"

高老大道："他……已经往地下道逃走了？"

律香川点点头。

高老大道："你没有追？"

律香川摇摇头。

高老大道："为什么不追？"

律香川淡淡道："因为我知道追不到。"

高老大脸色变了。

现在她才明白律香川刚才为什么笑，老伯没有死，她就没有地契。

她牺牲了孟星魂，牺牲了凤凤，却连一张白纸都得不到。

律香川慢慢地回过头，凝视着她，忽然道："老伯虽然走了，地契却没有走，你还有希望，只要你用一样东西来换，还是可以将地契带走。"

高老大道："你要我用什么换？"

律香川道："你。"

高老大深深吸了口气："你认为我值得？"

律香川笑了笑，道："你说过我是生意人，真正的生意人。真正的生意人从不做蚀本生意。"

他眼睛在高老大身上移动，最后停留在她胸膛上。

高老大忽然笑了。

律香川道："你笑什么？"

高老大道："笑你……你知不知道有人用两斤猪肉就买到过我？"

律香川道："那没关系，女人的价钱本来就随时可以改变的！"

高老大媚笑道："不错，无论谁若肯将地契给我，我都立刻就会陪他上床，可是你……"

她忽然沉下脸，冷冷接道："只有你不行，你就算将这里所有的一切都给我也不行！"

律香川道："为什么？"

高老大道："因为你让我觉得恶心。"

律香川脸色忽然变了。

很少有人看到他脸上变色，也很少有人令他脸上变色。

高老大看着他，冷冷道："我可以跟恶心的人谈生意，却绝不肯跟恶心的人睡觉。"

律香川忽然冲过去，一把撕开了她的衣襟。

他好像忽然变了个人。

平日那冷静沉着的律香川已不见了，怒火使他的酒意上涌，他好像忽然变成了只野兽。

也许他本来就是野兽！

高老大还是没有动，还是冷冷地看着他。在熹微的晨光中，她的雪白胸膛，看来更觉柔软丰满。

律香川眼睛里已布满红丝，忽然挥拳打在她柔软的胸膛和小腹上。

她倒下。

他还是不停地打，就好像在打孙蝶时一样，渐渐已分不清楚打的究竟是孙蝶，还是高老大。

他打得疯狂，但却打得不重。

高老大居然没有闪避。

开始时她咬紧牙，咬得很紧，然后汗珠渐渐流下，鼻翅渐渐翕张……忽然发出了一声奇异的呻吟。

她非但不闪避，并且扭动着身子去迎合。

她的身子像变成了一条蛇。

会缠人的蛇。

高老大慢慢地站起来，看着律香川。

她已又冷静如石像，看着律香川的时候，眼睛里还充满了轻蔑不屑之意，冷冷道："你完了么？"

律香川在微笑。

高老大道："你是不是觉得很得意？可是我，我只觉得恶心，恶心得要命。"

她慢慢地转过身："现在我要走了，你只有想着我，想着这一次的快乐，但以后我永远也不会来了，我就是要你想，想得要死。"

律香川道："你还会来的，很快就会再来。"

高老大冷笑道："你以为我喜欢你？"

律香川微笑道："不错，因为你知道我会揍你，只有我会揍你，你喜欢被人揍。"

他淡淡地接着道："这些年来，你想必已很难找到一个揍你的人，因为别人将你看得太高、太尊贵，却不知你只有挨揍才会觉得满足。"

高老大的手忽然握紧，指甲已刺入肉里。

律香川道："你一定还在想着那卖肉的，他一定揍得你很凶，让你永远都忘不了！"

高老大的身子开始颤抖。

律香川道："你杀了他，并不是因为恨他，而是因为恨自己，恨自己为什么总是忘不了一个卖肉的！为什么一想到那次的事就会兴奋。"

他微笑着，接着道："但你以后可以放心了，因为我喜欢揍人，无论你什么时候来，我都会狠狠地揍你一顿，我现在才知道，你以前那么样对我，为的就是想要我揍你。"

高老大突然转过身，挥手向他脸上掴了过去。

律香川捉住她的手，用力将她的手臂向后扭，道："你是不是还想要我揍你？"

高老大的手已被扭到背后，面上露出了痛苦之色，但一双冰冷的眸子却已变为兴奋炽烈，像是有一股火在身子里燃烧。

律香川笑道："也许我们才是天生一对，你喜欢挨揍，我喜欢揍人。"

他忽然用力推开她，淡淡道："但今天我已够了，你还想挨揍，也只好等到下一次。"

高老大的身子撞在墙上，瞪着他，咬着牙道："你这畜生总有一天我要杀了你。"

律香川悠然道："我知道你恨我，因为我太了解你是哪种人，但你绝不会杀我的，因为也只有我才知道你真正要的是什么。"

他挥了挥手，道："现在你可以走了。"

高老大没有走，反而坐了下来。

女人就像是核桃，每个女人外面都有层硬壳，你若能一下将她的硬壳击碎，她就绝不会走了，赶也赶不走的。

律香川道："你为什么还不走？"

高老大忽然也笑了，道："因为我知道你根本不想要我走。"

律香川道："哦！"

高老大道："因为也只有我才知道你要的是什么，你要的我都有。"

律香川冷冷看着她道："你还知道些什么？"

高老大道："就算老伯已死了，你也爬不到你想爬到的地方，因为前面还有人挡着你的路。"

律香川道："还有谁？"

高老大道："孙蝶、孟星魂……"她媚笑接着道："当然不止他们两个……还有谁……也许是屠大鹏，也许是罗金鹏，但绝不会是万鹏王！"

律香川的瞳孔忽然收缩，冷冷道："说下去。"

高老大道："你当然绝不会为了万鹏王出卖老伯，因为这样做你根本没有好处，好处是万鹏王的，你当然不会做这么愚蠢的事。所以，你勾结的人不是屠大鹏，就是罗金鹏。"

律香川道："为什么？"

高老大道："因为只有他们两人才能在老伯死后替你除去万鹏王，你若没有杀死万鹏王的把握，就不会杀老伯。"她笑了笑，又道："屠大鹏的可能当然比罗金鹏大得多，因万鹏王死后只有他的好处最大，也只有他才能杀得了万鹏王。”

律香川道：“说下去。”

高老大：“但等到万鹏王一死，他就不会再是你的朋友了，那时他就会变成你的对头，你当然不会让他在前面挡住你的路，所以……”

律香川道：“所以怎么样？”

高老大道：“所以你一定要找个人杀他。”

律香川冷冷道：“我为什么不能自己下手？我若没有杀他的把握，怎么会让他代替万鹏王？”

高老大笑道：“现在你当然有把握，但等到那时就不同了，因为他并不是呆子，到那时一定会对你加倍提防。”

律香川忽又笑了。

他被人说中心事时，总是会笑。

他知道只有用笑来掩饰心里的不安，才是最好的法子。

高老大悠然道：“你若要找人杀他，绝不会找到比我更好的人了。”

律香川道：“哦！”

高老大道：“因为无论谁爬到他那种地位后，都一定很快就会想到酒和女人，他若想找最好的女人，就不能不来找我。”

律香川的眼睛渐渐发亮，微笑道：“你的确是这方面的权威。”

高老大道：“除了屠大鹏，你最想杀的人当然就是孟星魂。”她凝视着律香川，缓缓道：“但你却不一定有把握能杀他！”

律香川沉吟着，淡淡道：“你怎么知道我没有把握？”

高老大道：“他是我从小养大的，我当然比任何人都了解，除非他自己想死，否则任何人想杀他都不容易。”

律香川道：“我知道他很快！”

高老大道：“不但快，而且准，也许还不够狠，但却已够狡猾。”

律香川道：“狡猾？”

高老大道：“狡猾的意思就是他已懂得在什么时候应该躲起来，躲在什么地方，因为他已学会忍耐，不等到有把握时绝不出手。”她笑了笑又道：“他躲起来时，天下也许只有一个人能找到他！”

律香川道：“那个人就是你？”

高老大道：“不错，就是我。”

律香川目光闪动，道："你肯杀他？"

高老大淡淡笑道："我总不能在他身上盖房子吧！"

律香川凝视着她，过了很久，才微笑道："看来你的确很了解我。"

高老大笑得甜而妩媚，道："这也许只因为我们本是同一类的人。"

律香川的表情突然变得很严肃，缓缓道："所以我刚才说得不错，只有我们才是天生的一对。"

这本是句很庸俗的话，不但庸俗，而且已接近肉麻。

但这句话从律香川的嘴里说出来，却像是忽然变得有种特别不同的意思，特别不同的分量。

无论谁听到他说出这话，都不能不慎重考虑。

高老大显然正在考虑。

她目中带着深思的表情，凝视着他，仿佛想看出他心里真正的意思来。

律香川心里究竟在想什么，没有人能看得出。

高老大忽又笑了，道："也许我们的确本是天生一对，但你却绝不会娶我，我也绝不可能嫁给你！"

律香川道："的确不可能。"

高老大道："所以你说这句话根本没有用。"

律香川道："有用！"

高老大道："有什么用？"

律香川道："那就要看了。"

高老大道："看什么？"

律香川道："看你能为我做什么！肯为我做什么！"

高老大微笑道："一个人要别人为他做事的时候，最好先问问自己能为对方做什么。"

律香川道："你知道我能为你做的事很多。"

高老大道："那么第二个问题就来了……你肯不肯做？"

律香川淡淡道："有时肯，有时也许不肯。"

高老大道："什么时候肯？"

律香川道："在你替我做了一件很有用的事之后。"

高老大叹道："你难道从没做过吃亏的事？"

律香川道："从来没有！"

高老大轻轻叹息了一声，道："好吧，你要我做什么？你说。"

律香川道："目前我只想要你做一件事。"

高老大眼波流动，道："你是不是想要我替你找出老伯的下落？"

律香川道："不错，只要你能找到他，剩下的事都由我来做。"

高老大微笑着，道："我很愿意替你去做这件事，我自己也很想找到他，看看他。"

她笑得很特别。

律香川仿佛觉得有点意外，道："你想看看老伯？"

高老大道："是的！"

她轻抚着已散乱了的头发，缓缓道："我想看看一个像他这样，一直都高高在上、掌握着别人生死命运的人，忽然被人逼得要逃亡流离，连自己都无法信赖自己的时候，会变成什么样子。"

律香川沉默了很久，才缓缓道："我想他也会跟别人一样，变得很悲哀、很恐惧，无论对什么事都不会再像以前那样有决断、有信心。"

高老大道："是不是无论谁到了这种地步时，都会变成这样子？"

律香川道："是！"

他目中仿佛也流露出某种恐惧，仿佛生怕自己也有一天会遭遇到同样的命运。

高老大目中却带着笑意，道："你的意思是说，他已绝不会像以前那么可怕？"

律香川点点头，道："所以你去找他的时候，用不着太担心。"

高老大道："我根本不担心，因为我根本用不着去找他。"

律香川道："用不着去找他？为什么？"

高老大悠然道："因为我知道有个人会替我们去找到他。"

律香川道："谁？"

高老大道："孟星魂。假如世上只有一个人能找到老伯，这人就是孟星魂！"

律香川面上并没有什么表情，就好像听到的只不过是个陌生人的名字。

他最愤怒、最恨的时候，脸上反而不会有丝毫表情。

高老大目中的笑意更明显，道："孟星魂，你当然知道这个人的！"

律香川点头道："但我却不知道他在哪里！"

高老大道："我知道，因我已经看到了他。"

律香川的瞳孔开始收缩道："他在哪里？"

高老大道："就在附近。"

律香川道："附近？"

他忽然笑了笑，道："你知不知道现在谁是这附近几百里地的主人？"

高老大道："你。"

律香川道："所以他若真的到了这附近来，第一个知道的人就应该是我。"

高老大微笑道："你应该知道，但却没有知道，因为你对他没有我熟悉。"

律香川道："但你对这地方却没有我熟悉。"

高老大道："地方是死的，人却是活的。"

她悠然接着道："只有我才知道他，到了一个地方他会躲在哪里，会用什么法子来躲开别人的注意。"

律香川终于点点头，道："你对他了解得的确很多。"

高老大道："天下绝没有人能比我对他了解得更多的，就好像天下绝没有人比你更了解老伯一样。"

律香川沉吟着道："你什么时候看到他的？"

高老大道："就在看到你之前。"

律香川道："他也看到了你？"

高老大道："还没有。"

律香川道："你想用什么法子来要他替我们去找老伯？"

高老大道："我什么法子都不必用，因为他本就要来找老伯、找你。"

她笑了笑又道："就算最能保密的女人，只要曾经跟一个男人共同生活了一年之后，也会变得没有秘密可言了。"

律香川好像没有听到她在说什么，缓缓道："他既然要来，为什么到现在还没有来？"

高老大道："因为他不喜欢在晚上做事。"

律香川道："哦！"

高老大道："有很多人都认为，你要想找别人的麻烦，就一定要等到晚上再下手。"

律香川道："你认为他们的想法不对？"

高老大道："这种想法不但错，而且简直错得要命。因为像我们这种人，到了晚上反而会戒备得更严密，你认为是最好的机会时，那里往往就有个最可怕的陷阱在等着你。"

律香川道："但孟星魂却不会往陷阱里跳。"

高老大道："他绝不会。"

她笑了笑，又道："他年纪虽轻，但七八岁的狐狸就已是条老狐狸！"

律香川居然也笑了，道："不错，一岁的狐狸就已比十岁的牛狡猾得多。"

笑容很快就消失，律香川又道："却不知他喜欢在什么时候下手呢？"

高老大道："明日，吃过午饭之后。"

律香川沉思着，缓缓道："不错，这段时间大多数人都会变得松弛些、马虎些，因为谁也想不到居然有人会专门挑这种时候出手。"

高老大道："而且吃过午饭后打瞌睡，往往反而比晚上睡得更甜。"

律香川目光遥视着远方，缓缓道："你想他是不是今天就会来？"

高老大道："很可能……你若能让他知道老伯的事，他就非来不可了。"

律香川看着她，微笑道："你当然有法子能让他知道的，是不是？"

高老大也在微笑。

你若能看到他们的微笑，你一定会觉得他们是天下最亲切可爱的人！

幸好你看不到他们的微笑，所以你还能活着，活得很愉快。

但有件事你还是千万不能忘记。

除了律香川和高老大外，世上还有很多人的微笑中都藏着刀的。

一种杀人不见血的刀！

第二十二章

蛛丝马迹

孟星魂睡得很舒服。

他要就不睡，要睡就一定睡得很舒服。

无论在什么时候、什么地方，他一向都能睡得很舒服，何况，他刚吃了一顿很丰富的早点，而且还睡在一张不太硬的床上。

可是现在他真能睡得着吗?

家里还有油，还有米，临走的时候，小蝶几乎将所有的银子都塞入他的行囊，但他又偷偷地拿出一半，放在小蝶简陋的妆匣里。

那数目并不多，却已足够让小蝶和宝宝生活一段日子。

这一年来，他们的生活本就很简朴。

他忽然想到第一次见到小蝶的时候。

小蝶正从一间灯火辉煌的酒楼里走出来，一群年轻而又快乐的少年男女，宛如群星拱月般地围绕着她。

她穿着件鲜红的斗篷，坐上了辆崭新的马车。

那时见过她的人，绝对想不到她会变成现在这样子。现在她已是个标准的渔家妇，一双春葱般的玉手已日渐粗糙。

她的确为他牺牲了很多。

孟星魂总希望有一天能补偿她所牺牲的一切。

他能吗?

临走的前夕，小蝶一直躺在他怀里，紧紧地拥抱着他。

这一夜他们谁也没有阖眼。

他们仿佛已不再能忍受孤独寂寞。

“你一定要回来。”

“一定！”

若没有他，小蝶怎么能活得下去？那艰苦漫长的人生，她一个人怎能应付得了？

所以他发誓，无论如何一定要回去，他不能抛下她，他也不忍。

可是他真的能回得去吗？

阳光从窗外照进来，照在屋角，明亮的阳光透过昏黄的窗纸后，看来已温柔得像是月光一样。

孟星魂还是睡得很舒服，但一滴晶莹的泪珠却已自眼角慢慢地流了下来，滴在枕上。

外面的小院很静，因为留宿在这家客栈里的人，大多数是急着赶路的旅客，往往在天还没有亮的时候，就已上路。

那段时候才是这客栈里最乱的时候，各式各样的人都在抢着要茶要水，抢着将自己的骡马先套上车。

孟星魂就是在那段最乱的时候来的。

他确信那种时候绝对没有人会注意到他。

“别人不去的地方，他去；别人要走的时候，他来。”

就算律香川派了人在这家小客栈外调查来往旅客的行踪，但在那段时间也会溜出去吃顿早点的！

因为谁也想不到有人会在这时候来投宿。

昨天晚上呢？

也许更没有人会想到孟星魂昨天晚上在哪里。

他就躺在人家的屋顶上，躺了一夜，希望能看到流星。

他还是和以前一样，对流星充满了神秘的幻想，那种幻想也许本就是他与生俱来的，早已在血液里生了根。

人，本就很难真正完全改变。

也许只有女人能改变。

她们为爱情所作的牺牲，绝不是男人所能想象得到的。

泪已干了，孟星魂慢慢地转了个身，他身子还没有翻过去，突然停顿。

对面的窗子霍然被推开。

只有一个人敢这么样推开孟星魂的窗子，绝没有别人！孟星魂身子已僵硬。

他绝不是懦夫，绝不怕见到任何人，只有这个人是例外。

因为他一直对这人歉疚在心。

但这人既已来了，他想不见也不行。

“我能不能进来？”

“请进。”

高老大的声音还是那么温柔，笑得还是那么亲切。

她看着孟星魂的时候，目光中还是充满了情感和关切。

屋子里只有一张凳，高老大已坐了下来。

孟星魂坐在她对面的床沿，两个人互相凝视着，一时间仿佛都不知该说什么。

过了很久很久，高老大才笑了笑，道：“我看来怎么样？”

孟星魂也笑了笑，道：“你还是老样子，好像永远都不会变的。”

高老大嫣然道：“你没有看清楚，其实我已经老了很多。”

她没有说谎。

孟星魂已发现她笑起来的时候，眼角的皱纹已多些，那双美丽的眼睛看来也不像以前那么明亮，仿佛已显得有些疲倦，有些憔悴。

高老大轻轻叹了口气，道：“这一年来，我的日子并不大好过——也许每个人的日子都不会很好过，所以每个人都会老的。”

孟星魂懂得她的意思。

她的日子不好过，也许有一大半是为了他。

他也想说几句话来表示他的歉疚，可是他说不出——有些人好像天生就不会说这种话的。

高老大忽又笑了笑，道：“你什么话都不必说，我明白！”

孟星魂道：“你……你不怪我？”

高老大柔声道：“每个人都有权为自己打算，若换了我，我也会这样做的！”

孟星魂更感激，也更感动。

他忽然觉得自己亏欠高老大的，自己这一生也还不清了。

欠人债的，也许比被欠的更痛苦。

高老大忽然又问道：“她对你好不好？”

孟星魂道：“很好。”

高老大目中露出羡慕之意道："那么你日子就一定过得很好，我早就知道，只有一个真正对你好的女人，才能令你这样的男人幸福。"

男人都认为女人是弱者，都认为自己可以主宰女人的命运，却不知大多数男人的命运却是被女人捏在手里的。

她们可以令你的生活幸福如天堂，也可以令你的生活艰苦如地狱。

无论多有希望的男人，若不幸爱上一个可怕的女人，那么他这一生永远都要做这女人的奴隶。

他这一生就算完了。

高老大道："我不明白的是，你既然过得很好，为什么要回来呢？"

孟星魂道："你真的想不到？"

高老大叹了口气，道："你若是回来替老伯拜寿，只怕已迟了一步。"

孟星魂动容道："迟了一步……难道老伯出了什么事？"

高老大道："谁也不知道他出了什么事，谁也不敢到他那花园去，但每个人都知道他一定出了事。"

孟星魂道："为什么？"

高老大道："因为这地方忽然变得很乱，好像每天都有很多陌生人来来去去……"

她忽又笑道："也许只有你可以去看看他，你们的关系毕竟和别人不同。"

孟星魂忍不住站了起来，但看了她一眼，又慢慢地坐了下去！

高老大道："你用不着顾虑我，我只不过想来看看你，随时都可以走的。"

孟星魂道："你……是不是要回家？"

高老大幽幽道："除了回家外，我还有什么地方好去？"

孟星魂垂下头，终于忍不住问道："家里是不是还是老样子？"

高老大道："怎么会还是老样子！"

她轻轻叹息了一声，慢慢地接着道："自从你走了之后，叶翔也走了，据说他已死在老伯手里，可是谁也不能确定。小何虽然没有走，但已被人打得变成了白痴，连吃饭都要人喂他。"

孟星魂长长叹了口气，说道："幸好还有石群在。"

高老大道："石群也不在。"

孟星魂失声道："为什么？"

高老大道："自从我去年叫他到西北去之后，他就一直没有回来，也没有消息。"

孟星魂骇然道："他怎么会出事？据我所知，西北那边没有人能制得住他的。"

高老大叹道："谁知道呢？江湖中的事，每天都可能有变化，何况一年？"

她笑得很凄清，接着又道："何况他也许根本没有出事，只不过不愿意回来而已，每个人都有权为自己打算的，所以我也不恨他。"

孟星魂垂下头，心里像是被针刺着。

高老大黯然道："老朋友都一个个地走了，我一个人有时也会觉得很寂寞，所以……所以你有空的时候，不妨回来看看我。"

她忽又展颜而笑，嫣然道："假如你能带着她回来，我更欢迎。"

孟星魂握紧双拳，道："我一定会回来看你……只要我不死，我一定会带她回去！"

他忽然觉得高老大还不像他以前想得那么坚强，忽然觉得自己也有保护她的责任，不该让她如此孤独，如此寂寞。

聪明的女人都知道对付男人有种最好的战略，那就是让男人觉得她软弱。

所以看来最软弱的女人，其实也许比大多数男人都坚强得多。

花园里很静，没有人，没有声音。

老伯的花园一向都是这样子的，但你只要一走进去，立刻就会看到人的，而且不止一个人。

每个角落里都可能有人忽然出现，每个人都可能要你的命。

孟星魂已走进去，已走了很久。

菊花开得正好，在阳光下灿烂如金。

他走了很久，还是没有看到任何人，没有听到任何声音。

这就令人奇怪了。

孟星魂走入花丛，花丛中原有埋伏的，但现在却只有花香和泥土。

人呢？所有的人好像都已不见了。

孟星魂紧握着双拳，愈看不见人，他反而愈觉紧张。

这里必定发生了很惊人的变化。

但世上又有什么力量，能将这里的人全部赶走呢？

他简直无法想象。

就算这里的人全都已走得一个不剩，老伯至少还应该留在这里。

“世上绝没有人能够赶走他，更没人能够杀死他！”

这一点孟星魂从未怀疑过，但现在……他忽然想到了律香川。

莫非老伯已遭了律香川的毒手？

那么律香川至少就应该还在这里，怎么连他都不见了？

花丛深处有几间精致的屋子。

孟星魂知道这屋子就是老伯的住处，他曾经进去陪老伯吃过饭。

吃饭的地方还是和以前一样，但里面有扇门却已被撞碎。

孟星魂走进去，就看到了那张被击碎的床，看到了床下的密道。

他还看到了一艘小船停泊在水道上。

他已想到这扇门和这张床都是被律香川所击碎的，但他却永远想不到这艘小船也是律香川特地为他留下的。

“世上假如只有一个人能找到老伯，这人就是孟星魂！”

有些人好像天生就有种猎犬般的本能。孟星魂就是这种人！

任何人逃亡时都难免会留下一些线索，因为最镇定的人逃亡时也会变得心慌意乱。只要你留下一些线索，他就绝不会错过！

高老大不但了解他，也信任他。

只要孟星魂能找到老伯，她就有法子知道。

小船精巧而轻便，船头还有盏孔明灯。

灯光照耀下，水道显得更曲折深邃，也不知隐藏着多少危机。

前面随时随地都可能有样令你不能预测的事出现，突然要了你的命。

但既已走到这里，又怎么能返回去？

“要就不做，要做就做到底！”

孟星魂紧握着木桨，掌心似已沁出了冷汗。

他是不是能活着走出这条水道？

水道的尽头在哪里？

在地狱？

马家驿本是个驿站，距离老伯的花园只有七八十里路。自从驿差改道，驿站被废置，这地方就日渐荒凉。

但无论多荒凉的地方都有人住的。

现在这地方只剩下十六七户人家，其中有个叫马方中的人，就住在昔日驿站的官衙里。

马方中这个人就像他的名字一样，方方正正、规规矩矩，从出生到现在从没有做过任何一件令人觉得惊奇意外的事。

别人觉得应该成亲的时候，他就成了亲，别人觉得应该生儿女的时候，他就不多不少地生了两个。

一个儿子，一个女儿。

他的太太很贤惠，菜烧得很好，所以马方中一天比一天发福，到了中年后，已是个不大不小的胖子。

胖子的人缘通常都很好，尤其是有个贤惠妻子的胖子。

所以马家的客人经常都不少。

客人们吃过马太太亲手做的红烧狮子头，陪马方中下过几盘棋后，走出院子的时候，都忘不了对马方中院子里种的花赞美几句。

因为你若赞美他种的花，甚至比赞美他的儿女还要令他高兴。

马太太在她丈夫心情特别好的时候，也会说几句打趣他的话，说他请客人到家里来吃饭，为的就是要听这几句赞美的话。

马方中总是笑嘻嘻地笑着，也不否认。

因为种花的确就是他最大的嗜好。

除了种花外，他最喜欢的就是马。

驿站的官衙里本有个马厩，马方中搬进来后，将马厩修建得更好。

虽然他一共只养了两匹马，但两匹都是蒙古的快马。

马方中看待这些马，简直就好像看待自己的儿女一样。

除了在风和日丽的春秋佳日，他偶尔会替这两匹马套上车，带着全家到附近去兜兜风之外，就连他自己到外地去赶集的时候，也因舍不得骑这两匹马，而另外花钱去雇驿车。

但这并不是说他对自己的儿女不好。

大家都知道，马方中唯一被人批评的地方，就是对儿女太溺爱，连马太太都认为他溺爱得过了分。

儿子女儿无论要什么，几乎全都有求必应，他们就算做错事，马方中也没有责备过他们一句。

现在儿女都已有八九岁了，都已渐渐懂事，马太太有时想将他们送到城里的私塾去念念书，马方中总是坚决反对。

因为他简直连一天都舍不得离开他们，只要一空下来，就陪他们到处去玩，无论他们要怎么玩，他都从没有说过一次“不肯”。

马太太有时也会埋怨……

“女儿还没关系，儿子若是目不识丁，长大了怎么得了？你就算舍不得送他们到外面去念书，自己也该教教他，怎么能整天陪着他玩呢？”

马方中总是笑嘻嘻地答应，但下次拿起书本时，只要儿子说想去钓鱼，他还是立刻就会放下书本，陪儿子去钓鱼。

马太太也拿这父子两人没法子。

但除了这样之外，马太太无论说什么，马方中都千依百顺。

村子里的老太太、小媳妇们，都在羡慕马太太，一定是上辈子积了德，所以才嫁到这样一位好丈夫。

马太太自己当然也很满意。

因为马方中不但是个好父亲，也是个好丈夫、好朋友。

这一点无论谁都不会否认，像马方中这么一位好好先生，谁都想不到他也会有什么秘密。

就是马太太，连做梦也都不会想到，她的丈夫居然也会有秘密。

只有一个秘密。

一个可怕的秘密。

这天天气特别好，马方中的心情也特别好。

所以马太太特别做了几样他最喜欢吃的菜，请了两个他最欢迎的客人，吃了顿非常愉快的晚饭。

晚饭后下了几盘棋，客人就告退了，临走的时候，当然没有忘记特别赞美了几句院子里的花。

现在开的是菊花，开得正好。

客人走了后，马方中还在院子里流连着，舍不得回房睡觉。

天高气爽，风吹在身上，不冷也不热。

马太太就将夏天用的藤椅搬出来，沏了壶茶，陪着丈夫在院子里聊天。

聊来聊去，又聊到了那句老话。

“小中已经快十岁了，连一本《三字经》都还没有念完，你究竟想让他玩到什么时候？”

马方中沉默着，过了许久，才笑了笑，道：“也许我现在已经可以开始教他念书了。”

马太太松了口气，笑道：“其实你早就该开始了，我真不懂，你为什么要等到现在？”

马方中微笑着，摇着头，喃喃道：“有些事你还是不懂的好。”

马太太道：“还有些什么事？”

马方中道：“男人的事，女人最好连问都不要问，时候到了，就自然会让你知道。”

他毕竟还是不太了解女人。

你愈是要女人不要问，她愈要问。

马太太道：“什么时候？究竟是什么事？”

马方中微笑道：“照现在这情况看来，那时候永远都不会到了。”

他慢慢地啜了口茶，笑得很特别，又道：“茶不错，喝了这杯茶，你先去睡吧！”

这表示谈话已结束。

马太太顺从地端起了茶，刚啜了一口，忽然发现院子里有几株菊花在动，她还以为是自己的眼睛看花了，谁知菊花却动得更厉害。

突然间，这几株菊花竟凭空跳了起来，下面的泥土也飞溅而出，地上竟骇然裂开了一个洞。

洞里竟骇然有个人头探了出来。

一颗巴斗般大的头颅，顶上光秃秃的，连一根头发都没有，一张脸白里透青，青里发白，活像是戴着个青铜面具。

但却绝不是面具，因为他的鼻子在动，正在长长地吸着气。

看他吸气的样子，就像是已有很久很久都没有呼吸过了，这难道不是人？难道是个刚从地狱中逃出来的恶鬼？

"当！"茶碗掉在地上，摔成粉碎。

马太太吓得几乎晕了过去。

半夜三更，地下突然有个这么样的人钻出来，就连比马太太胆子大十倍的人，也难免要被吓得魂飞魄散。奇怪的是，马方中却连一点惊吓的样子都没有，就好像早已预料到会有这种事发生似的。

他非但没有逃，反而很快地迎了上去，看他这时的行动，已完全不像是个饱食终日、四肢不动的胖子。

连马太太都从未看过她丈夫行动如此迅速。

地下的人已钻了出来。

马方中并不矮，这人却比他整整高了两尺，在这么凉的天气里，居然精赤着上身，看来像是个巨灵神。

马方中一蹿过去，立刻沉声道："老伯呢？"

这巨人并没有回答，沉声反问道："你就是马方中？"

他说话的口气显得很生涩、很吃力，就像是已有很久很久没有跟别人说过话，说话的时候眼睛也没有看着马方中。

马太太这才发现他原来是个瞎子。

马方中道："我不是马方中，是方中驹。"

他为什么不承认自己是马方中？

巨人却点了点头，像是对这回答觉得很满意。

然后他才转过身，从地洞中拉起一个人来。

一个女人，年轻美丽的女人，只不过满脸都带着惊骇恐惧，全身一直在不停地发抖。

她身上裹着条薄被，但马太太却已看出她薄被下的身子是赤裸着的！

女人看女人，总是看得特别清楚些。

"这样一个年轻美丽的女孩子，怎么跟这恶鬼的巨人在一起？又怎会从地下钻出来？"

马太太想不通！

谁都想不通。

没有人能想到老伯那秘密通道的出口，就在马方中院子里的花坛下。

没有人能想到马方中这么样一个人，也会和老伯有关系。

第二十三章

义薄云天

老伯虽已站不直，神情间还是带着种说不出的威严，威严中又带着亲切，只不过一双凛凛有威的眸子，看来已有些疲倦。

那女孩子在旁边扶着他，身子还是在不停地发抖。

马方中已拜倒在地。

老伯道："起来，快起来，你莫非已忘了我从不愿别人行大礼。"

他语声还是很沉稳有力。

他说的话还是命令。

马方中站立，垂手而立。

老伯看着他的时候，目中带着笑意，道："十余年不见，你已胖了很多！"

马方中垂首道："我吃得好，也睡得好。"

老伯微笑道："可见你一定娶了个好老婆。"

他看了马太太一眼，又道："我也应该谢谢她，将你照顾得很好。"

马方中道："还不快来拜见老伯。"

马太太一向顺从，怎奈此刻早已吓得两腿发软，哪里还能站得起来?

老伯道："用不着过来，我……"

他突然紧握双拳，嘴角肌肉已因痛苦而抽紧!

没有人能想到老伯正在忍受着多么大的痛苦，也只有老伯才能忍受这种痛苦。

马方中目中露出悲愤之色，咬牙道："是谁？谁下的毒手？"

老伯没有回答，目中的悲痛和愤怒之色更重，冷汗也已沁出!

马方中也不再问，突然转身，奔向马厩。

他以最快的速度为这两匹快马套上了车，牵到前面的院子里。

老伯这才长长吐出气，道："你准备得很好，这两匹都是好马。"

马方中道："我从来就不敢忘记你老人家的吩咐。"

马太太看着她的丈夫，直到现在，她才明白他为什么喜欢种花、为什么喜欢养马，原来他以前所做的一切事，全是为了这已受了重伤的老人。

她只希望这老人快点坐上这马车，快点走，从此永远莫要再来打扰他们平静安宁的生活。

那巨人终于上了前面的车座。

老伯道："你明白走哪条路么？"

巨人点了点头。

老伯道："外面有没有人？"

这句话本应由马方中回答的，但这巨人却抢着又点了点头。

因为他有双灵敏的耳朵，外面无论有人有鬼，他都能听得出，瞎子的耳朵总是比不瞎的人灵敏得多。

马太太的心沉了下去！

难道他们要等到没有人的时候再走？那得要等多久？

谁知老伯却长长叹了口气，道："好，现在已可以走了。"

他们的行动既然如此隐秘，为什么要在外面有人的时候走？

马太太正觉得奇怪，想不到还有更奇怪的事在后头。

老伯竟没有上车！

"他为什么不走？难道要留在这里？"

马太太的心又沉了下去。

"难道他不怕别人从地道中追到这里来？"

她虽然并不是个很聪明的女人，却也不太笨，当然也已看出这老人是在躲避仇家的追踪。

他若不走，就表示他们以前那种平静安宁的生活已结束。

她恨不得将这些人全都赶走，走得愈远愈好，可是她不敢，只有默默地垂下头，连眼泪都不敢掉下来。

马方中已开了大门，回头望着那赶车的巨人。

这巨人一双死鱼般的眼睛茫然凝注着前方，星光照在他青铜般的脸上，这张脸本不会有任何表情，但现在却已因痛苦而扭曲。

他突然跳下马车，奔过去，紧紧拥抱住老伯。

马方中恰巧可以看到他的脸，看到两滴眼泪从他那充满了黑暗和绝望的眼睛里流了下来。

原来瞎子也会流泪的。

老伯没有说话，没有动，过了很久，才长长叹息了一声，黯然道："你走吧，以后我们说不定还有见面的机会。"

巨人点点头，像是想说什么，却又忍住。

马方中面上也不禁露出了凄惨之色，道："这两匹马认得附近的路，可以一直将你载到方老二的家，到了那里，他就会将你送到关外。"

巨人突然跪下来，以首顿地，重重磕了三个头，嗄声道："这里的事，就全交给你了。"

马方中也跪下来，以首顿地，道："我明白，你放心走吧。"

巨人什么话也没有再说，跳上马车打马而去。

大门立刻紧紧关上。

突然间，一个男孩子和一个女孩子手牵着手从屋里跑出来，拉住了马方中的衣角。

男孩子仰着脸道："爹爹，那个大妖怪怎么把我们的马抢走了？"

马方中轻抚着孩子的头，柔声道："马是爹送给他的，他也不是妖怪。"

男孩子道："不是妖怪是什么？"

马方中长叹道："他是个很好很好的人，又忠实，又讲义气，你将来长大后，若能学到他一半，也就不枉是个男子汉了。"

说到这里，他语声突然哽咽，再也说不下去。

男孩子似懂非懂地点了点头，女孩子却问道："他到底有多讲义气？"

老伯叹了口气，道："为了朋友，他可以一个人孤孤单单地在黑暗中过十几年，除了你的爹爹外，他就可以算是最讲义气的人了。"

女孩子眨眨眼，道："他为什么要讲义气，义气是什么？"

男孩子抢着道："义气就是够朋友，男人就要讲义气，否则就连女人都不如了。"

他挺起小小的胸膛，大声道：“我也是男人，所以我长大后也要和他一样的讲义气，爹！你说好不好？”

马方中点点头，热泪已将夺眶而出。

老伯拉起了这男孩子的手，柔声道：“这是你的儿子？有多大了？”

马方中道：“十……十岁还不到。”

老伯说道：“这孩子很聪明，你把他交给我如何？”

马方中眼睛一亮，但立刻又充满痛苦之色，黯然说道：“只可惜，他还太小，若是再过十年，也许……”

他忽然拍了拍孩子的头，道：“去，去找你娘去！”

马太太早已张开手，等着孩子扑入她的怀抱里。

老伯看着他们母子俩，神色很凄惨，缓缓道：“你有个好妻子，孩子也有个好母亲……她叫什么名字？”

马方中道：“她也姓马，叫月云。”

老伯慢慢地点了点头，喃喃道：“马月云……马月云……”

他将这名字反反复复念了十几次，仿佛要将它永远牢记在心。

然后他又长叹了一声，道：“现在我也可以走了。”

马方中道：“那边，我早已有准备，请随我来！”

后院有口井，井水很深，很清洌。

井架的辘轳上悬着个很大的吊桶。

马方中将吊桶放下来，道：“请。”

老伯就慢慢地坐进了吊桶。

凤凤一直咬着唇，在旁边看着，此刻目中也不禁露出了惊异之色。

她猜不出老伯为什么要坐入这吊桶，难道想到井里去？

井里都是水，他难道已不想活了？

等她发现老伯正在盯着她的时候，她立刻又垂下头。

马方中看了看她，又看了看老伯，试探着道：“这位姑娘是不是也要跟着你老人家一起下去？”

老伯沉吟着，淡淡道：“那就要看她是不是愿意跟着我。”

马方中转过头，还没有说话，凤凤忽然道：“现在我难道还有什么别的路可走？”

老伯看着她，目中忽然有了些温暖之意，但等他转向马方中的时候，神色又暗淡了下来，黯然道："这一次，多亏了你。"

马方中忽然笑了笑，道："你老人家用不着记挂着我，我已过了十几年好日子。"

老伯伸出手，紧紧握了握他的手，道："你很好，我也没有什么别的话可说了——嗯，也许只有一句话。"

马方中道："你老人家只管说。"

老伯的脸色很悲痛，也很严肃，缓缓说道："我这一生虽然看错过几个人，但总算也交到几个好朋友。"

老伯和凤凤都已从吊桶下去，消失在井水中。

马方中还站在井边，呆呆地看着井水出神。

水上的涟漪已渐渐消失，马方中终于慢慢地转过身，就看到他的妻子正牵着两个孩子站得远远地等着他。那双温柔的眼睛里，也不知道含蕴着多少柔情、多少关切。

做了十几年夫妻，没有人能比他了解她更多。

他知道她已将自己全部生命寄托在他和孩子们身上，无论吃什么苦，受什么罪，她绝不会埋怨。

现在他们虽已渐渐老了，但有时等孩子都睡着后，他们还是会和新婚时同样热情。

他知道自己一生中最大的幸运，就是娶到她。

现在他只希望她能了解他做的事，只希望她能原谅。

孩子又奔过来，马方中一手牵住了一个，柔声道："你们饿不饿？"

孩子立刻抢着道："饿，好饿哟！"

孩子们的胃好像永远都填不满的。

马方中微笑着，抬头去看他的妻子，道："孩子们难得吃夜宵，今天让我们破例一次好不好？"

马月云顺从地点了点头，道："好，晚上还有剩下的熏鱼和卤蛋，我去煮面。"

面很烫！

孩子将长长的面条卷在筷子上，先吹凉了再吃下去，孩子们好像无论在做什么事的时候，都能找到他们自己的乐趣。

只要看到孩子，马方中脸上就不会没有笑容，只不过今天他的笑容看来仿佛有点特别，胃口也仿佛没有平时那么好。

马月云的手在为孩子剔着鱼里的刺，眼睛却一直在盯着丈夫的脸，终于忍不住试探着问道："我怎么从来没有听你说过有个老伯？"

马方中沉吟着，像是不知该如何回答这句话，考虑很久，才缓缓道："他并不是我真的老伯！"

马月云道："那么他是谁？"

马方中道："他是我的兄弟、我的朋友，也是我的父母，若没有他，我在十六岁的时候已经被人杀死了，根本见不到你，所以……"

马月云温柔地笑了笑，道："所以我也应该感激他，因为他替我留下了个好丈夫。"

马方中慢慢地放下筷子，她知道他放下筷子来说话的时候，就表示他要说的话一定非常严重。

她早已有了准备。

马方中道："你不但应该感激他，也应该和我一样，不惜为他做任何事。"

马月云道："我明白。"

马方中道："你现在已明白，我住在这里，就是要为他守着那地道的出口。"

他叹息了一声，黯然道："我只希望他永远都用不着这条地道，本来已渐渐认为他绝不会有这么样一天，想不到这一天毕竟还是来了。"

马月云垂着头，在听着。

马方中道："他既已到了这地步，后面迟早总会有人追来的。"

马月云忍不住道："既然如此，他为什么不坐那辆马车逃走呢？"

马方中道："因为追来的人一定是个很厉害的角色，无论那两匹马有多快，总有被人追上的时候，何况，他又受了很重的伤，怎么还能受得了车马颠簸之苦？"

他慢慢地接着道："现在，就算有人追来，也一定认为他已坐着那辆马车走了，绝对想不到他还能留在这里，更不会想到他居然能藏在一口有水的井里。”

马月云现在才知道他为什么要在外面有人的时候叫马车走了。

他就是要让别人去追。

马方中养那两匹马，根本就不是为了准备要给他作逃亡的工具，而是为了要转移追踪者的目标。

这计划不但复杂，而且周密。

马月云长长叹了口气，道：“原来这些事都是你们早已计划好了的。”

马方中道：“十八年前，就已计划好了，老伯无论走到哪里，都一定会先留下一条万无一失的退路。”

马月云脸上也不禁露出敬畏之色，叹道：“看来他真是个了不起的人物。”

马方中道：“他的确是！”

马月云道：“但那口井又是怎么回事呢？他难道能像鱼一样躲在水里？”

马方中道：“他用不着躲在水里，因为那口井下面也有退路……”

马月云道：“什么样的退路？”

马方中道：“还没有挖那口井的时候，他就已在地下建造了间屋子，每个月我赶集回来，总会将一批新鲜的食粮换进去，就算是在我已认为老伯不会来的时候，还是从不中断。”

他接着又道：“那些食粮不但都可以保存很久，而且还可以让他吃上三四个月。”

马月云道：“水呢？”

马方中道：“井里本就有取之不尽、用之不竭的水。”

马月云道：“可是……井里都是水，他怎么能进得了那间屋子？”

马方中道：“井壁上有铁门，一按机钮，这道门就会往旁边滑开，滑进井壁。”

马月云道：“那么样一来，井水岂非跟着要涌了进去？”

马方中道：“门后面本来就是个小小水池，池水本就和井水齐高，所以就算井水涌进去，池水也不会冒出来……水绝不会往高处流的，这道理你总该明白。”

马月云长叹道："这计划真是天衣无缝，真亏你们怎么想得出来的！"

马方中道："是老伯想出来的。"无论多复杂周密的计划，在孩子们听来还是很索然无味。

他们吃完了一碗面，眼睛就睁不开了，已伏在桌上睡得很沉。

马月云瞟了孩子一眼，勉强笑道："现在，他既然躲在井里，只怕天下间绝不可能有人找得到他了！"

马方中沉默了很久，一字字道："的确不会，除非我们说出来。"

马月云脸色已发青，还是勉强笑着道："我们怎么会说出来呢？不用说你，连我都一定会守口如瓶的！"

马方中的脸色愈来愈沉重，道："现在你当然不会说，但别人要杀我们的孩子时，你还能守口如瓶么？"

马月云手里的筷子突然掉在桌上，指尖已开始发抖，颤声道："那……那我们也赶快逃走吧！"

马方中摇了摇头，黯然道："逃不了的。"

马月云道："为什么……为什么？"

马方中长叹道："能将老伯逼得这么惨的人，怎会追不到我们呢？"

马月云全身都已发抖，道："那我们……我们该怎么办呢？"

马方中没有说话，一个字都没有说。他已不必说出来。

他只是默默地凝视着他的妻子，目光中带着无限温柔，也带着无限悲痛。

马月云也在凝视着她的丈夫，仿佛有说不出的怜惜，又仿佛有说不出的惊畏，因为她已发现她的丈夫比她想象中更伟大得多。过了很久，她神色忽然变得很平静，慢慢从桌上伸过手去，握住了她丈夫的手，柔声道："我跟你一样已过了十几年好日子，所以现在无论发生什么事，我都绝不会埋怨。"

马方中道："我……我对不起你。"

这句话在此刻来说已是多余的了，但是他喉头已哽咽，热泪已盈眶，除了这句话外，他还能说什么？

马月云柔声道："你没有对不起我，你一向都对我很好，我跟你一起活着，固然已心满意足，能跟你一起死，我也很快乐。"

她不让马方中说话，很快地接着又道："我跟了你十几年，从来没有求过你什么，现在，我只想求你一件事。"

马方中道："你说！"

马月云的眼泪忽然流下，凄然道："这两个孩子……他们还小，还不懂事，你……你……你能不能放他们一条生路？"

马方中扭过头，不忍再去瞧孩子，哽咽着道："我也知道孩子无辜，所以他们活着的时候，我总是尽量放纵他们，尽量想法子让他们开心些。"

马月云点点头，道："我明白。"

她直到现在才明白，她的丈夫为什么要那样溺爱孩子。

他早已知道孩子活不了多久。

对一个做父亲的人说来，世上还有什么比这更悲惨的事？

马月云流着泪道："我现在才明白，你一直在忍受着多么大的痛苦。"

马方中咬着牙，道："我一直在祈求上苍，不要让我们走上这条路，但现在，现在……我们已没有别的路可走。"

马月云嘶声道："但我们还是可以打发孩子们走，让他们去自寻生路，无论他们活得是好是坏，无论他们能不能活下去，只要你肯放他们走，我就……我就死而无怨了。"

她忽然跪下来，跪在她丈夫面前，失声痛哭道："我从来没有求过你，只求你这件事，你一定要答应我……一定要答应我……"

马方中很久没有说话，然后他目光才缓缓移向孩子面前那个碗。碗里的面已吃光！

马月云看着她丈夫的目光，脸色突又惨变，失声道："你……你已……你在面里……"

马方中凄然道："不错，所以我现在就算想答应你，也已太迟了！"

世上是不是还有比地狱更悲惨的地方？

有！

在哪里？

就在此时，就在这里！

屋子里只有一张床，老伯睡在床上，所以凤凤只有坐着。

椅子和床一样，都是石头做的，非常不舒服，但凤凤坐的姿势还是很优美，这是高老大教她的！

“你若想抓住男人的心，就得随时随地注意自己的姿态，不但走路的样子要好看，坐着、站着、吃饭的时候，甚至连睡觉的时候都要尽量保持你最好看的姿态。就算你只不过是个妓女，也一定要男人觉得你很高贵，这样，男人才会死心塌地地喜欢你。”

这些话高老大也不知对她们说过多少次了。

“可是我现在抓住了一个怎么样的男人呢……一个老头子，一个受了重伤的老头子。”

你只要能真正抓住一个男人，就有往上爬的机会。

“可是我现在爬到什么地方了呢？一口井的底下，一间充满发霉味道的臭屋子。”

她几乎忍不住要大声笑出来。

屋子里堆着各式各样的食粮，看来就像是一条破船底下的货舱。

角落里挂着一大堆咸鱼咸肉，使得这地方更臭得厉害。她眼睛盯在那些咸鱼上，拼命想集中注意力，数数看一共有多少条咸鱼，因为她实在不想去看那老头子。

但是她偏偏没法子能一直不看到那边，老伯站着的时候，穿着衣服的时候，看来也许是个很有威严的人，但他现在赤裸着躺在床上，看来就和别的老头子没有什么不同。

他躺着的样子，比别的老头子还要笨拙可笑——两条腿弯曲着，肚子高高地挺起，就像是个蛤蟆般在运着气。喉咙里，偶尔还会发出“咯、咯、咯”的声音。

凤凤若不是肚子很饿，只怕已经吐了出来。

过了很久，老伯才长长吐出口气，软瘫在床上，全身上下都被汗湿透，肚子上下的肉也松了。

那样子实在比咸鱼还难看。凤凤突然间忍不住了，冷笑道：“我看，最好还是省点力气吧，莫忘了你自己说过，七星针的毒根本无药可救。”

老伯慢慢地坐起来，凝视着她，缓缓道：“你希望我死？”

凤凤翻起眼，看着屋顶。

老伯慢慢望着她道："你最好希望我还能活着，否则你也得陪我死在这里。"

凤凤开始有点不安，她还年轻，还没有活够。

她忍不住问道："七星针的毒是不是真的无药可救？"

老伯点点头，道："我从不说假话。"

凤凤的脸有点发白，道："你既然非死不可，又何必费这么多力气逃出来呢？"

老伯忽然笑了笑，道："我只说过无药可救，并没有说过无人可救，人能做的事远比几棵药草多得多。"

凤凤的眼睛亮了，道："你难道真能将七星针的毒逼出来？"

老伯忽又叹了口气，道："就算能，至少也得花我一两个月的工夫！"

凤凤的眼睛又暗淡了下来，道："这意思就是说你最少要在这地方待一两个月。"

老伯笑道："这地方有什么不好？有鱼、有肉，出去的时候，我保证可以把你养得又白又胖。"

凤凤用眼角瞟着他，觉得他笑得可恶极了，也忍不住笑道："你不怕别人找到这里来？"

老伯道："没有人能找得到。"

凤凤道："那姓马的不会告诉别人？"

老伯道："绝不会。"

凤凤冷笑道："想不到你居然还是这么有把握，看来你现在信任那姓马的，就好像你以前信任律香川一样。"

老伯没有说话，脸上一点表情也没有。

凤凤道："何况，世上除了死人外，没有一个是真能守口如瓶的！"

老伯又沉默了很久，才淡淡道："你看马方中像不像是个会为朋友而死的人？"

凤凤道："他也许会，他若忽然看到你被人欺负，一时冲动起来，也许会为你而死，但现在他并没有冲动。"

她接着又道："何况，你已有十几年没见过他，就算他以前是想替你卖命，现在也许早已冷静了下来。"

老伯道："也许就因为他已冷静下来，所以才会这么样做。"

凤凤道："为什么？"

老伯道："因为他一直都认为这样做是理所当然的，一直都在准备这件事发生，这已成了他思想的一部分，所以等到事情发生时，他根本连想都不必想，就会这样子做出来了。"

凤凤冷笑道："那当然也是你教他这么想。"

老伯笑道："人往往有两面：一面是善的，一面是恶的。有些人总能保持善的一面，马方中就是这种人，所以只要是他认为应该做的事，无论在什么情形下，他都一定会去做！"他接着道："就因为你生长的地方只能看到人恶的一面，所以你永远不会了解马方中这种人，更无法了解他做的事。"

凤凤扭过头，不去看他。

她自己也承认这世上的确有很多事都无法了解，因为她所能接触到的事、所受的教育，都是单方面的，也许正是最坏的那一面。

可是，她始终认为自己很了解男人。

因为那本是她的职业，也是她生存的方式——她若不能了解男人，根本就无法生存。

"男人只有一种，无论最高贵或最贫贱的都一样，你只消懂得控制他们的法子，他们就是你的奴隶。"

控制男人的法子却有两种。

一种是尽量让他们觉得你柔弱，让他们来照顾你、保护你，而且还要让他们以此为荣。

还有一种就是尽量打击他们，尽量摧毁他们的尊严，要他们在你面前永远都抬不起头来。

那么你只要对他们略加青睐，甚至只要对他们笑一笑，他们都会觉得很光荣、很感激。

你若真的能让男人有这种感觉，他们就不惜为你做任何事了。

这两种法子她都已渐渐运用得很纯熟，所以无论在哪种男人面前，她都已不再觉得局促、畏惧。

因为她已能将局面控制自如。

但现在，她忽然发觉这两种法子对老伯都没有用。在老伯眼中，她只不过是个很幼稚的人，甚至根本没有将她当作人。老伯在看着她的时候，就好像在看着一张桌子、一块木头。

这种眼色正是女人最受不了的，她们宁可让男人打她、骂她，但这种态度，简直可以令她们发疯。

凤凤突然笑了。

她也已学会用笑来掩饰恐惧的心理和不安，所以她笑得特别迷人。她微笑道："我知道你一定很恨我，恨得要命。"

她的确希望老伯恨她。

女人宁可被恨，也不愿被人如此轻蔑。

老伯却只是淡淡道："我为什么要恨你？"

凤凤道："因为你落到今天这种地步，都是被我害的。"

老伯道："你错了。"

凤凤道："你不恨我？"

老伯道："这件事开始计划时，你只不过还是个孩子，所以这件事根本就和你全无关系。"

凤凤道："但若没有我……"

老伯打断了她的话道："若没有你，还是有别人，你只不过是这计划中，一件小小工具而已，计划既已成熟，无论用谁来做这工具都一样。"他笑笑，又道："所以我非但不恨你，倒有点可怜你。"

凤凤的脸色已涨得通红，忽然跳起来，大声道："你可怜我？你为什么不可怜可怜自己？"

老伯道："等我有空的时候，我会的！"

凤凤道："你不会，像你这种人绝不会可怜自己，因为你总觉得自己很了不起。"

老伯道："哦？"

凤凤道："一个人若懂得利用别人'恶'的那一面，懂得利用别人的贪婪、虚荣、妒忌、仇恨，他已经可以算是个很了不起的人。"

老伯道："的确如此。"

凤凤道："但你却比那些人更高一招，你还懂得利用别人'善'的一面，还懂得利用别人的感激、同情和义气。”

老伯全无表情，冷冷道：“所以我更了不起。”

凤凤咬着牙，冷笑道：“但结果呢？”

老伯说道：“结果怎么样，现在谁都不知。”

凤凤道：“我知道。”

老伯道：“哦。”

凤凤道：“现在就算马方中已死了，就算没有人能找到你，就算你能将七星针的毒连根拔出，你又能怎么样？”

她冷笑着，又道：“现在你的家已被别人占据，你的朋友也已变成了别人的朋友，你不但已众叛亲离，而且已将近风烛残年，就凭你孤孤单单的一个老头子，除了等死外，还能做什么？”

这些话毒得就像是恶毒的响尾蛇。

女人若想伤害一个人的时候，好像总能找出最恶毒的话来，这好像是她们天生的本事，正如响尾蛇生出来就是有毒的。

老伯却还是静静地看着她！

那眼色还是好像在看着一张桌子、一块木头。

凤凤冷笑道：“你怎么不说话了？是不是因为我说出了你自己连想都不敢想的事？”

老伯道：“是的！”

凤凤道：“那么你现在有何感觉呢？是在可怜我？还是在可怜你自己？”

老伯道：“可怜你，因为你比我更可怜！”

他声音还是平静而缓慢，接着道：“我的确已是个老头子，所以我已活过，但你呢……我知道你不但恨我，也恨你自己。”

凤凤忽然冲过来，冲到他面前，全身不停地颤抖。她本来简直想杀了他，但也不知道为了什么，却突然倒在他怀里，失声痛哭了起来。

他毕竟是她第一个男人。

也是她唯一的男人。

他们的生命已有了种神秘的联系，她虽不愿承认，却也无法改变这事实。

事实本是谁都改变不了的。

第二十四章

井底情仇

人与人之间，好像总有种奇怪而愚昧的现象。

他们总想以伤害别人来保护自己，他们伤害的却总是和自己最亲近的！

因为他们只能伤害到这些人，却忘了他们伤害到这些人的时候，同时也伤害了自己。

所以他们受到的伤害也比别人更深。

所以他们自己犯了错，自己痛恨自己时，就拼命想去伤害别人。

人间若真有地狱，那么地狱就在这里。

就在这丛盛开着的菊花前，就在这小小院子里。

院子里有四个人的尸身——父亲、母亲、女儿、儿子。

孟星魂若是早来一步，也许就能阻止这悲剧发生，但他来迟了。

黄昏，夕阳的余晖中仿佛带着血一般的暗红色，血已凝结时的颜色。

创口中流出的血已凝结，孟星魂弯下腰，仔细观察着这些尸身上的创口，就像是期望着他们还能说出临死前的秘密。

“这些人怎么会死的？死在谁的手上？”

孟星魂几乎已可算是杀人的专家，对死人了解得也许比活人还多，他看过很多死人，也曾仔细研究过他们临死前的表情。

一个人若是死在刀下，脸上通常只有几种表情，不是惊慌和恐惧，就是愤怒和痛苦。

无论谁看到一柄刀砍在自己身上时，都只有这几种表情。

但这对夫妻的尸身却不同。

他们的脸上既没有惊惧，也没有愤怒，只是带着种深邃的悲哀之色——一种自古以来，人类永远无法消灭的悲哀，一种无可奈何的悲哀。

他们显然不想死，却非死不可。

但他们临死前又并不觉得惊怪愤怒，就仿佛“死”已变成了他们的责任、他们的义务。

这其中必定有种极奇怪的理由。

孟星魂站起来，遥视着天畔已逐渐暗淡的夕阳，仿佛在沉思。

这件事看来并没有什么值得思索的。

无论谁看到这些尸身，都一定会认为是老伯杀了他们的。

一个在逃亡中的人，时常都会将一些无辜的人杀了灭口，但孟星魂的想法却不同。

因为他已发觉这些人真正致命的死因并不是那些刀伤。他们在这一刀砍下来之前，已先中了毒。

那毒药的分量已足够致命。

老伯绝不会在一个人已中了致命之毒后，再去补上一刀。

他既不是如此残忍的人，也没有如此愚蠢。

“那么这些人是怎会死的？死在谁手上呢？”

孟星魂的眼角在跳动。

当他有某种强烈的预感时，眼角总是会不由自主地跳动起来。

那么他是不是已找出了这秘密的答案？

外面忽然有人在敲门。

孟星魂沉吟了半晌，终于慢慢地走过去，很快地将门拉开。

他的人已到了门后。

每个人开门的方式不同，你若仔细观察，往往会从一个人开门的方式中发觉他的职业和性格。

孟星魂开门的方式是最特别、最安全的一种。

像这么样开门的人，仇敌一定比朋友多。

门外的人吃了一惊。

无论谁看到面前的门忽然被人很快地打开，却看不到开门的人时，往往都会觉得大吃一惊。

何况他本就是个很容易吃惊的人。

容易吃惊的人通常比较胆小，比较懦弱，也比较老实。

孟星魂无论观察活人和死人都很尖锐，他观察活人时先看这人的眸子。

就算天下最会说谎的人，眸子也不会说谎的。

看到门外这人目中的惊恐之色，孟星魂才慢慢地从门背后走出来，道：“你找谁？”

他的脸也和老伯的脸一样，脸上通常都没有任何表情。

没有表情通常也就是一种很可怕的表情。

门外这人显然又吃了一惊，不由自主便退后了两步，向这扇门仔细打量了两眼，像是生怕自己找错了人家。

这的确是马方中的家，他已来过无数次。

他松了口气，赔笑道：“我来找马大哥的，他在不在？”

这家人原来姓马。

孟星魂道：“你找他干什么？”

他问话的态度就好像在刑堂上审问犯人，你若遇见个用这种态度来问你的人，不跟他打一架，就得老老实实地回答。

这人不是打架的人。

他喉结上上下下地移动，嗫嚅道：“昨天晚上有个人将马大哥的两匹马和车子赶走了，到现在还没回来，我想来问问马大哥，究竟是怎么回事？”

孟星魂道：“赶车的是个什么样的人？”

这人道：“是个块头很大的人。”

孟星魂道：“车子里面有没有别人？”

这人道：“有。”

孟星魂道：“有多少人？”

这人道：“我不知道。”

孟星魂沉下了脸，道：“怎么会不知道……”

这人情不自禁，又往后退了两步，吃吃道：“车窗和车外都是紧紧关着的，我看不见。”

孟星魂道：“既然看不见，怎知道有人？”

这人道：“看那赶车的样子，绝不像是在赶着辆空车。”

孟星魂道："他什么样子？"

这人又咽了几口口水，讷讷道："看样子他很匆忙，而且还有点惊惶。"

孟星魂道："你什么时候看到他的？"

这人道："昨天晚上。"

孟星魂道："昨天晚上什么时候？"

这人道："已经很晚了，我已经准备上床的时候。"

孟星魂道："既然已那么晚，你怎么还能看得清楚？"

这人道："我……我并没有看得很清楚。"

孟星魂道："既然没有看清楚，怎么知道他很惊惶？"

这人道："我……我……我只不过有那种感觉而已。"

他忽然拉拉衣角，忽然摸摸头发，已吓得连一双手都不知往哪里放才好。

他从没被人这样问过话，简直已被问得连气都喘不过来，也忘了问孟星魂凭什么问他这些话了。

现在孟星魂才让他喘了口气，但立刻又问道："你亲眼看到那辆马车？"

这人点点头。

孟星魂道："你看到车子往哪条路走的？"

这人向东面指了指，道："就是这条路。"

孟星魂道："你会不会记错？"

这人道："不会。"

孟星魂道："车子一直没有回头？"

这人道："没有。"

他长长吐了口气，赔笑道："所以我才想来问问马大哥，这是怎么回事，那两匹马他一向都看得很宝贵，无论多好的朋友，想借去溜个圈子都不行，这次怎么会让一个陌生人骑去的呢？"

孟星魂道："那大块头不是这里的人？"

这人道："绝不是，这里附近的人，我就算不认得，至少总见过。"

孟星魂道："那人你没有见过？"

这人道："从来没有。"

孟星魂道："他骑走的是你的马？"

这人道："不是，是马大哥的！"

孟星魂道："人，你不认得；马，又不是你的。这件事和你有什么关系？"

这人又退了两步，道："没……没有。"

孟星魂道："既然没有关系，你为什么要来多管闲事？"

这人道："我……我……"

孟星魂道："你知不知道多管闲事的人，总是会有麻烦上身的？"

这人不停地点头，转身就想溜了。

孟星魂道："站住！"

这人吓得几乎跳了起来，苦笑着道："大……大哥还有何吩咐？"

孟星魂道："你是不是来找马大哥的？"

这人道："是……是的。"

孟星魂道："他就在里面，你为什么不进去找他了？"

这人苦笑道："我……我怕……"

孟星魂沉着脸道："怕什么？快进去，他正在里面等你。"

他叫别人进去，自己却大步走出了门。

这人在门口愣了半天，终于硬着头皮走进去。

孟星魂很快就听到他的惊呼声，忽然叹了口气，喃喃道："喜欢多管闲事的人，的确总是会有麻烦惹上身的。"

角落里有两根铁管，斜斜地向上伸出去。

铁管的另一端也在井里——当然在水面之上，因为这铁管就是这石室中唯一通风的设备。

人在这里虽不至于闷死，但呼吸时也不会觉得很舒服的。所以这里绝不能起火。所以老伯就只有吃冷的。

凤凤将咸肉和锅饼都切得很薄，一片片的，花瓣般铺在碟子里，一层红，一层白，看来悦目得很。

她已懂得用悦目的颜色来引起别人的食欲。

老伯微笑道："看来你刀法不错。"

凤凤嫣然道："可惜只不过是菜刀。"

她眨着眼，又道："我总觉得女人唯一应该练的刀法，就是切菜的刀法，对女人来说，这种刀法简直比五虎断门刀还有用。"

老伯道："哦？"

凤凤道："五虎断门刀最多也只不过能要人的命，但切菜的刀法有时却能令一个男人终身拜倒在你脚下，乖乖地养你一辈子。"

有人说，通向男人心唯一的快捷方式，就是他的肠胃。

这世上不爱吃的男人还很少，所以会做菜的女人总不愁找不到丈夫的！

老伯又笑了，道："我本来总认为你只不过还是个孩子，现在才知道你真的已是个女人。"

凤凤用两片锅饼夹了片咸肉，喂到老伯嘴里，忽又笑道："有人说，女为悦己者容，也有人说，女为己悦者容，我觉得这两句话都应该改一改。"

老伯道："怎么改法？"

凤凤道："应该改成，女为己悦者下厨房。"

她眨着眼笑道："女人若是不喜欢你，你就算要她下厨房去炒个菜，她都会有一万个不愿意的。"

老伯大笑道："不错，女人只肯为自己喜欢的男人烧好菜，这的确是千古不移的大道理！"

凤凤道："就好像男人只肯为自己喜欢的女人买衣服一样，他若不喜欢你，你即使要他买块破布送给你，他都会嫌贵的。"

老伯笑道："但我知道有些男人虽然不喜欢他的老婆，还是买了很多漂亮衣服给老婆穿。"

凤凤道："那只因他根本不是为了他的老婆而买的！"

老伯道："是为了谁呢？"

凤凤道："是为了他自己，为了他自己的面子，其实他心里恨不得他老婆只穿树叶子！"

老伯又大笑，忽然觉得胃口也开了。

凤凤又夹了块咸肉送过去，眼波流动，柔声道："我若要你替我买衣服，你肯不肯？"

老伯道："当然肯！"

凤凤道："你会为我买怎样的料子做衣服？"

老伯道："树叶子，最好的树叶子！"

凤凤"嘤咛"一声，噘起了嘴，道："那么你以后也只有吃红烧木头了。"

老伯道："红烧木头？"

凤凤道："你让我穿树叶子，我不让你吃木头，吃什么呢？"

老伯再次大笑。

他已有很久没有这么笑过了！

他笑的时候，一块咸肉又塞进了他的嘴。

老伯只有吃下去，忽然道："你刚才还在拼命地想让我生气，现在怎么变了？"

凤凤眨了眨眼，道："我变了吗？"

老伯道："现在你不但在想法子让我多吃些，而且还在尽量想法子要我开心。"

凤凤垂下头，沉默了很久，才轻轻叹了口气，道："这也许只为我已想通了一个道理。"

老伯道："什么道理？"

凤凤道："这屋子里只有我们两个人，你若很不开心，我也一定不会很好受，所以我若想开心些，我一定要先想法子让你开心。"

她抬起头，凝视着老伯，慢慢地接着道："一个人无论在什么情况下都应该尽量想法子使自己活得开心些，是不是？"

老伯点点头，微笑道："想不到你已变得愈来愈聪明了！"

其实女人多数都很聪明，她若已知道无法将你击倒的时候，她自己就会倒到你这边来。

所以你若是不愿被女人征服，就只有征服她。你若和女人单独相处，就只有这两条路可走，千万不能期望还有第三条路，聪明的男人当然都知道应该选择哪条路，所以你千万不能妥协。

因为妥协的意思通常就是"投降"。你只要有一次被征服，就得永远被征服。

第二十五章

最后一注

井水很清凉。

凤凤慢慢地啜着一杯水，幽幽道："假如我们真的能在这里安安静静过一辈子，倒也不错。"

老伯道："你愿意？"

凤凤点点头，忽又长叹道："只可惜我们绝对没法子在这里安安静静地过下去！"

老伯道："为什么？"

凤凤道："因为他们迟早总会找到这里来。"

老伯道："他们？"

凤凤道："他们并不一定是你的仇人，也许是你的朋友。"

老伯道："我已没有朋友。"

他说这句话的时候，脸上还是连一点表情都没有，就像是在叙述着一件极明显、极简单，而且与他完全无关的事实。

凤凤道："谁也不知道自己究竟有没有朋友。真正的朋友平时是看不出来的，但等你到了患难危急时，他说不定就会忽然出现了。"

她说得不错。

真正的朋友就和真正的仇敌一样，平时的确不容易看得出。

他们往往是你平时绝对意料不到的人。

老伯忽然想到律香川。

他就从未想到过律香川会是他的仇敌，会出卖他。

现在他也想不出谁是他真正可以同生死、共患难的朋友。

老伯看着自己的手，缓缓道："就算我还有朋友，也绝对找不到这里来。"

凤凤道："绝对找不到？"

老伯道："嗯。"

凤凤眼波流动，道："我记得你以前说过，天下本没有'绝对'的事。"

老伯道："我说过？"

凤凤道："你说过。我还记得你刚说过这句话没多久，我就从床上掉了下去，当时我那种感觉就好像忽然裂开了似的。"

老伯凝视着她，道："你是不是没有想到？"

凤凤道："我的确没有想到，因为律香川已向我保证过，你绝对逃不了的，否则我也不会答应他来做这件事了。"

她直视着老伯，目中并没有羞愧之色，接着道："你现在当然已经知道，我也是被他们买通了来害你的，因为我以前本是个有价钱的人，只要你出得起价钱，无论要我做什么事都行。"

老伯道："你从没有因此觉得难受过？"

凤凤道："我为什么要难受？这世界大多数人岂非都是有价钱么？只不过价钱有高有低而已！"

老伯忽然笑了笑，道："你又错了，这世上也有你无论花多大代价都买不到的人。"

凤凤道："譬如说……那姓马的？"

老伯道："譬如说，孙巨。"

凤凤道："孙巨……是不是那个瞎了眼的巨人？"

老伯道："是。"

凤凤道："他是不是为你做了很多事？"

老伯道："他为我做了什么事，绝不是你们能想得到的。"

凤凤道："他在那地道下已等了你很久？"

老伯道："十三年，一个人孤孤单单地在黑暗中生活十三年，那种滋味也绝不是任何人所能想得到的。"

他目中第一次露出哀痛感激之色，缓缓接着道："他本来也跟你一样，有双明亮的眼睛，你若也在黑暗中待了十三年，你的眼睛也会瞎得跟蝙蝠一样。"

凤凤忍不住激灵灵打了个寒噤，道："要我那么做，我宁可死。"

老伯黯然道："世上的确有很多事都比死困难得多、痛苦得多！"

凤凤道："他为什么要忍受着那种痛苦呢？"

老伯道："因为我要他那样做的。"

凤凤动容道："就这么简单？"

老伯道："就这么简单！"

他嘴里说出"简单"这两字的时候，目中的痛苦之色更深。

凤凤长长吐出口气，道："但我还是不懂，他怎么能及时将你救出去的？"

老伯道："莫忘记瞎子的耳朵总比普通人灵敏得多。"

凤凤动容道："他一直在听？"

老伯道："一直在听，一直在等！"

凤凤的脸忽然红了，道："……那么……那么他岂非也听见了我们……"

老伯点点头。

凤凤的脸更红，道："你……你为什么连那种事都不怕被他听见？"

老伯沉默了很久，终于道："因为连我自己也没有想到，在我这样的年纪还会有那种事发生。"

凤凤垂下头。

老伯又在凝视着她，缓缓道："这十余年来，你是我第一个女人。"

凤凤忽然握住了他的手，握得很紧。

老伯的手依然瘦削而有力。

她握着他的手时，只觉得他还是很年轻的人。

老伯道："你是不是已在后悔？"

凤凤道："绝不后悔，因为我若没有做这件事，就不会认得你这么样的人。"

老伯道："我是个怎么样的人？"

凤凤道："我不知道……我只知道现在若还有人要我害你，无论出多少价钱，我都不会答应。"

老伯凝视着她，很久很久，忽也长长叹息了一声，喃喃道："我已是个老人，一个人在晚年时还能遇到像你这样的女孩子，究竟是幸运，还是不幸？"

有谁能回答这问题？

谁也不能。

凤凤的手握得更紧，身子却在发抖。

老伯道：“你害怕？怕什么？”

凤凤颤声道：“我怕那些人追上孙巨，他……他毕竟是个瞎子。”

老伯道：“你应该也听见马方中说的话，到了前面，就有人接替他了！”

凤凤道：“我听见了，那个接替他的人叫方老二。”

老伯道：“不错。”

凤凤道：“但方老二对你是不是也会像他们一样忠诚呢？这世上肯为你死的人真有那么多？”

老伯道：“没有。”

凤凤道：“但你却很放心！”

老伯道：“我的确很放心。”

凤凤道：“为什么？”

老伯道：“因为忠实的朋友本就不用太多，有时只要一个就足够了。”

凤凤忽然抱住了他，柔声道：“我不想做你的朋友，只想做你的妻子，无论在这里还是在外面，无论你将来变成什么样子，我都是你的妻子，永远都不会变的。”

一个孤独的老人，一个末路的英雄，在他垂暮的晚年中，还能遇着一个像凤凤这样的女孩子。

他除了抱紧她之外，还能做什么呢？

方老二赶车，孙巨坐在他身旁。

方老二是个短小精悍的人，也是个非常俊秀的车夫，他全神贯注在赶车的时候，世上没有第二辆马车能追得上他。

但现在，他并没有全神贯注在车上。

他的眸子闪烁不定，显然有很多心事。

孙巨忽然道：“你在想心事？”

方老二道：“你怎么知道的？”

他显然吃了一惊，因为这句话已无异承认了孙巨的话。

但瞬息之后他脸上就露出了讥诮之色，冷笑道：“你难道还能看得出来？”

孙巨冷冷道：“我看不出，但却感觉得出，有些事本就不必用眼睛看的。”

方老二盯着他看了半天，看到他脸上那一条条钢铁般横起的肌肉时，方老二的态度就软了下来。

一个人若连脸上的肌肉都像钢铁，他的拳头有多硬就可想而知。

方老二叹了一口气，苦笑道：“我的确是在想心事，有时我真怀疑，瞎子是不是总比不瞎的人聪明些。”

孙巨道：“不是，但我却知道你在想什么。”

孙巨接着道：“你在想，我们何必辛辛苦苦地赶着辆空车子亡命飞奔，为什么不找个地方歇下来，舒舒服服地喝杯酒。”

方老二目光闪动，又在盯着他的脸，像是想从这张脸上，看出这个人的心里真正想的是什么。但是，他看不出。

所以他只有试探着，问道：“看来你酒量一定不错？”

孙巨道：“以前的确不错。”

方老二道：“以前？你难道已有很多年没有喝过酒了？”

孙巨道：“很多年——现在我几乎已连酒是什么味道都忘记了！”

方老二道：“你难道从来不想喝？”

孙巨道：“谁说我不想？我天天都在想。”

方老二笑了，悄悄笑道：“我知道前面有个地方的酒很不错，不但有酒，还有女人……”

他大笑得连眼睛都眯了起来，道：“那种屁股又圆又大、一身细皮白肉的女人，你随便都捏得出水来——你总不会连那种女人的味道都忘了吧？”

孙巨没有说话，但脸上却露出了种很奇特的表情，像是在笑，又不大像。

也许只因为他根本已忘了怎么样笑的。

方老二立刻接着道：“只要你身上带着银子，随便要那些女人干什么都行。”

孙巨道："五百两银子够不够？"

方老二的眼睛已眯成了一条线，道："太够了，身上带着五百两银子的人，如果还不赶快去享受享受，简直是傻瓜。"

孙巨还是在犹疑着，道："这辆马车……"

方老二立刻打断了他的话，道："我们管这辆马车干什么？只要你愿意，我也愿意，我们随便干什么都没有人管，根本就没有人知道。"

他接着又道："你若嫌这辆马车，我们可以把它卖了，至少还可以卖个百把两银子，那已够我们舒舒服服地在那里享受享受两个月了。"

孙巨沉吟着，道："两个月以后呢？"

方老二拍了拍他的肩，道："做人就要及时行乐，你何必想得太多？想得太多的人也是傻瓜。"

孙巨又沉吟了半晌，终于下了个决定，道："好，去就去，只不过……"

方老二道："只不过怎么样？"

孙巨道："我们绝不能将这辆马车卖出去。"

方老二道："为什么？"

孙巨道："你难道不怕别人来找我们算账？"

方老二脸色变了变道："那么你意思是……"

孙巨道："我们无论是将马车卖出去，还是自己留着，别人都有线索来找我们，但我们若将这辆马车和两匹马全都彻底毁了，还有谁能找到我们？"

他拍了拍身上一条又宽又厚的皮带，又道："至于银子，你大可放心，我别的都没有，就是有点银子。"

方老二眉开眼笑，道："好，我听你的，你说怎么样，咱们就怎么办。"

孙巨道："现在距离天黑还有多久？"

方老二道："快了。"

孙巨道："我记得这附近有好几个湖泊。"

方老二道："不错，你以前到这里来过。"

方老二将马车停在湖泊边。

夜已深，就算在白天，这里也少有人迹。

孙巨道："这里有没有石头？"

方老二道："当然有。"

孙巨道："好，找几个最大的石头到这马车里去。"

这件事并不困难。

方老二道："装好了之后呢？"

孙巨道："把车子推到湖里去。"

"扑通"一声，车子没入了湖水中。

孙巨突然出手，双拳齐出，打在马头上。

两匹健马连嘶声都未发出，就像个醉汉般软软地倒了下去。

方老二看得眼睛都直了，半天透不出气来。

只见刀光一闪，孙巨已自靴筒里抽出了柄解腕尖刀，左手拉起了马匹，右手一刀剁了下去。

他动作并不太快，但却极准确，极有效。

两匹马眨眼间就被他分成了八块，风中立刻充满了血腥气。

方老二已忍不住在呕吐。

孙巨冷冷道："你吐完了么？"

方老二喘息着，他现在吐的已是苦水。

孙巨道："你若吐完了，就赶快挖开个大洞，将这两匹马和你吐的东西全都埋起来。"

方老二喘息着道："为什么不索性绑块大石头沉到湖里去，为什么还要费这些事？"

孙巨道："因为这么样做更干净！"

他做得的确干净，干净而彻底。

马尸泡在湖水中，总有腐烂的时候，腐烂后说不定就会浮起来，说不定就会被人发觉。

那种可能也并不太大，但就算只有万一的可能，也不如完全没有可能的好。

方老二叹了口气，苦笑道："想不到你这样大的一个人，做事却这么小心。"

孙巨道："我不能不特别小心。"

方老二道："为什么？"

孙巨道："因为我已答应过老伯，绝不让任何人追到我的。"

他脸上又露出了那种很奇怪的表情，缓缓地接着道："只要我答应过他的事，无论如何都一定要做到。"

方老二忍不住地道："你还答应过他什么？"

孙巨一字字道："我还答应过他，只要我发现你有一点不忠实，我就要你的命！"

方老二脸色立刻惨变，一步步往后退，嗄声道："我……我只不过是说着玩玩的，其实我……"

孙巨打断了他的话，冷冷道："也许你的确只不过是说着玩的，但我却不能冒险，我绝不能给你一点机会来出卖老伯。"

方老二已退出七八步，满头冷汗如雨，突然转身飞奔而出。

他逃得并不慢，但孙巨手里的刀更快。

刀光一闪，方老二的人已被活生生钉在树上，手足四肢立刻抽紧，就像是个假人般痉挛扭曲了起来。

那凄厉的呼声在静夜中听来就像是马嘶。

这个洞挖得更大、更深。

孙巨埋起了他，将多出来的泥土撒入湖水里，然后面朝西南方跪下。

他并不知道天上有什么神祇是在西南方的，只知道老伯在西南方。

老伯就是他的神。

他跪下时瞎了的眼睛里又流下泪来。

十三年前，他就已想为老伯而死的，这愿望直到今天才总算达成。

他流着泪低语："我本能将马车赶得更远些的，怎奈我已是个瞎子，所以我只能死。"

没有人知道他为什么一心要为老伯而死。

他自己知道。

一个巨人生活在普通人的世界里，天生就是种悲剧，他一生从没有任何人对他表示过丝毫温情。

只有老伯。

他早已无法再忍受别人对他的轻蔑、讥嘲和歧视，早已准备死——先杀了那些可恨的人再死。

可是老伯救了他，给了他温暖与同情。

这在他说来，已比世上所有的财富都珍贵，已足够令他为老伯而死。

他活下来，为的就是要等待这机会。

有时候只要肯给别人一丝温情，就能令那人感激终生，有时你只要肯付出一丝温情，就能回收终身的欢愉。

只可怕世人偏偏要将这一点温情吝惜，偏偏要用讥嘲和轻蔑去唤起别人的仇恨！

孙巨慢慢地站起来，走向湖畔，慢慢地走入湖水中。

湖水冰冷。

他慢慢地沉下去，摸索着，找到了那辆马车。

他用力将马车推向湖心，打开车门，钻了进去，挤在巨大的石块中，用力拉紧了车门。

然后他就回转刀锋，向自己的心口一刀刺了下去。

尖刀直没至柄。

他紧紧地按着刀柄，直到心跳停止。

刀柄还留在创口上，所以只有一丝鲜血沁出，转眼就没入碧绿的湖水里。

湖水依然碧绿平静。

谁也不会发现湖心的马车，谁也不会发现这马车中这可怕的尸身，更不会发现藏在这可怕的尸身中那颗善良而忠实的心！

没有任何线索，没有任何痕迹。

马、马车、孙巨、方老二，从此已自这世界上完全消失。所以老伯也从此消失。

一个聪明的女人，只要她愿意，就可以将世上最糟糕的地方为你改变成一个温暖而快乐的家。

凤凤无疑很聪明。

这地方也实在很糟糕，但现在却已渐渐变得有了温暖，有了生气，甚至已渐渐变得有点像个家了。

每样东西都已摆到它应该摆的地方，用过的碗碟立刻就洗得干干净净，吊在墙上的咸肉和咸鱼已用雪白的床单盖了起来。

马方中不但为老伯准备了很充足的食物，而且还准备了很多套替换的衣服和被单。

他知道老伯喜欢干净。

凤凤在忙碌着的时候，老伯就在旁边看着，目中带着笑意。

男人总喜欢看着女人为他做事，因为在这种时候，他就会感觉到这女人是真正喜欢他的，而且是真正属于他的。

凤凤轻盈地转了个身，将屋子又重新打量一遍，然后才嫣然笑道："你看怎么样？"

老伯目中露出满意之色，笑道："好极了！"

凤凤道："有多好？"

老伯道："好得简直已有点像是个家了。"

凤凤叫了起来，道："像是个家？谁说这地方只不过像是个家？"

她又燕子般轻盈地转了个身，笑道："这里根本就是个家，我们的家。"

老伯看着她容光焕发的脸，看着她充满了青春欢乐的笑容，忽然觉得自己好像也年轻了起来。

凤凤道："世上有很多小家庭都是这样子的，一个丈夫，一个妻子，一间小小的房屋，既不愁吃，又不愁穿，也不愁挨冻。"

她满足地叹了口气，道："无论什么样的女人，只要有了个这么样的家，都已应该觉得满足！"

老伯笑了笑，道："只可惜这丈夫已经是个老头子了。"

凤凤咬起了嘴唇，娇嗔道："你为什么总是觉得自己老呢？"

她不让老伯说话，很快接着又道："一个女人心目中的好丈夫，并不在乎他的年纪大小，只看他是不是懂得对妻子温柔体贴，是不是一个顶天立地的男子汉。"

老伯微笑着，忍不住拉起她的手。

有人将他当作好朋友，也有人将他当作好男儿，但被人当作好丈夫，这倒还是他平生第一次。

他从未做过好丈夫。

他成亲的时候，他还是在艰苦奋斗、出生入死的时候。

他的妻子虽也像凤凤一样，聪明、温柔而美丽，但他一年中却难得有几天晚上和妻子共度过。

等他渐渐安定下来，渐渐有了成就时，他妻子已因忧虑所积的病痛而死，直到死的时候还是毫无怨言、毫无所求，她唯一的要求，就是要求他好好地看待她的两个孩子。

他没有做到。

他既不是好丈夫，也不是个好父亲。

老伯是属于大家的，已没有时间照顾他自己的儿女。

想到他的儿女，老伯心里就不由自主地觉得一阵酸苦。

儿子已被他亲手埋葬在菊花下，女儿呢？

他忽然发现自己从来没有真正了解过她，从来没有真正关心过她的幸福，他所关心的，只不过是他自己的面子。

“为什么一个人总要等到老年时，才会真正关心自己的女儿？”

是不是因为那时候他已没有什么别的事好关心了？

是不是因为一个人只有在穷途末路时才会忏悔自己的错误。

老伯长长叹息了一声，道：“我从来也不是个好丈夫，以前不是，以后也不会是的。”

凤凤娇笑一声，道：“我不管你以前的事，只要你现在……”

老伯摇摇头，打断了她的话，道：“现在我就算想做个好丈夫，也来不及了。”

凤凤道：“为什么来不及？只要你愿意，你就能做到。”

老伯道：“只可惜有些事我虽不愿意做，却也非做不可！”

他目光凝视着远方，表情渐渐变得严肃！

凤凤看着他，目中忽然露出了恐惧之色，道：“你还想报复？”

老伯没有回答。

没有回答通常就是肯定的回答。

凤凤道：“你为什么一定要报复？难道就不能忘了那些事，重新做另外一个人？”

老伯道：“不能！”

凤凤道：“为什么……为什么？”

老伯道：“因为我若不去报复，我这人就算真还能活着，也等于死了。”

凤凤垂下头道：“我不懂。”

老伯道："你的确不懂。"

以牙还牙，以血还血！

这不但是老伯的原则，也是每个江湖好汉的原则。他若不能做到这一点，就表示他已变得胆小而懦弱，非但别人要耻笑他，看不起他，他自己也会看不起自己。

一个人若连自己都看不起，他还活着干什么？

老伯缓缓道："我若从头再活一遍，也许就不会做一个这么样的人，但现在再要我改变却已来不及了。"

凤凤霍然抬头道："你就算从头再活一遍，也还是不会改变的，因为你天生就是这么样的一个人，天生就是'老伯'！"

她声音又变得很温柔，柔声道："也许就连我都不希望你改变，因为我喜欢的就是像你这么样的一个人，不管你是好，是坏，你总是个不折不扣的男子汉。"

她说得不错。

老伯永远是老伯。

永远不会改变，也永远没有人能代替。

不管他活的方式是好是坏，他总是的的确确在活着！

这已经很不容易了！

老伯躺了下去，脸上又变得毫无表情。

他痛苦的时候，脸上总不会露出任何表情来。

现在他正在忍受着痛苦——他背上还像是有针在刺着。

凤凤凝视着他，满怀关切，柔声道："你的伤真能治得好么？"

老伯点点头。

凤凤道："等你的伤一好，你就要出去？"

老伯又点点头。

凤凤用力咬着嘴唇，道："我只担心，以你一个人之力，就能对付他们？"

老伯勉强笑了笑，道："我本就是一个人出来闯天下的！"

凤凤道："但那时你还有两个很好的帮手！"

老伯道："你知道？"

凤凤道："我听说过！"

她笑了笑，又道："我还没有见到你的时候，就已听人说起过你很多的事！"

老伯闭上眼睛。

他显然不愿再讨论这件事，是不是因为他也和凤凤同样担心？

凤凤却还是接着说了下去："我知道那两个人一个叫陆漫天，一个叫易潜龙，他们后来虽然也全都背叛了你，但当初却的确为你做了不少事！"

老伯忍不住道："你还知道什么？"

凤凤叹了口气道："我还知道你现在再也找不到像他们那样的两个人了。"

老伯也叹了口气，喃喃道："女人真奇怪，不该知道的事她们全知道，该知道的事，她们反而全不知道。"

凤凤凝视着他，过了很久，才缓缓说道："你是不是不愿听我说起这件事？你以为我自己很喜欢说？"

老伯道："你可以不说。"

凤凤捏着自己的手，道："我本来的确可以不说，我可以拣那些你喜欢听的话说，但现在……"

她目中忽然有泪流下，嘶声道："现在我怎么能不说？你是我唯一的男人，我这一生已完全是你的，我怎么能不关心你的死活？"

老伯终于张开了眼睛。

在这种情况下，没有一个男人还能硬得起心肠来的。

凤凤已伏在他身上，泪已沾湿了他胸膛。

她流着泪道："我只想听你说一句话，你这次出去，有几分把握？"

老伯轻抚着她的头发，缓缓道："你知不知道实话总是会伤人的？"

凤凤道："我知道，我还是要听。"

老伯沉默了很久，缓缓道："我是个赌徒，赌徒本来总会留下些赌注准备翻本的，但这……这次我却连最后一注也押了下去。"

凤凤道："这一注大不大？"

老伯笑了笑，笑得很凄凉，道："最后一注，通常总是最大的一注。"

凤凤道："这一注有没有被他们吃掉？"

老伯道："现在还没有，但点子已开出来了。"

凤凤道："谁的点子大？"

老伯道："他们的！"

凤凤全身都颤抖了起来，哽声道："他们既然还没有吃掉，你就应该还有法子收回来！"

老伯摇摇头，道："现在已来不及了。"

凤凤道："为什么？"

老伯道："因为赌注并不在这里。"

凤凤道："你押在哪里了？"

老伯道："飞鹏堡！"

凤凤显得很惊讶，道："飞鹏堡岂非就是十二飞鹏帮的总舵？"

老伯点点头，叹道："因为那时我还以为万鹏王才是我真正的仇敌，唯一的对手！"

凤凤也叹了口气，道："我好像记得有人说过，真正的仇敌就和真正的朋友一样，只有最后关头才能看得出来。"

老伯苦笑道："你当然应该记得，因为这句话就是我说的！"

凤凤道："可是你为什么要将赌注押在别人一伸手就可以吃掉的地方呢？"

老伯道："因为我算准他吃不掉。"

凤凤道："是不是因为那一注太大？"

老伯道："大小并不重要，重要的是，根本没有人知道这一注押在哪里！"

凤凤道："为什么？"

老伯沉声道："因为这一注押在另一注后面的！"

凤凤想了想，皱眉道："我不懂……"

老伯道："我决定在初七那一天，亲自率领四路人马由飞鹏堡的正面进攻，在别人看来，这也是我的孤注一掷，只不过这一注是明的！"

凤凤目光闪动，道："其实你还有更大的一注押在这一注后面？"

老伯道："不错。"

凤凤道："你怎么押的？"

老伯道："这些年来，谁也不知道我又已在暗中训练出一组年轻人。"

凤凤道："年轻人？"

老伯道："年轻人血气方刚，血气方刚的人才有勇气拼命，所以我将这一组称为‘虎组’，因为他们正如初生之虎，对任何事都不会有所畏惧。”

凤凤道：“但，年轻人岂非总是难免缺乏经验吗？”

老伯道：“经验虽重要，但到了真正生死决战时，就远不及勇气重要了。”

凤凤道：“你训练他们为的就是这一战？”

老伯点点头，道：“养兵千日，用在一朝。为了这一战，他们已等了很久，每一个人都已明白这一战对他们有多么重要。”

凤凤眨眨眼，道：“我还不明白！”

老伯道：“我已答应过他们，只要这一战胜了，活着的每个人都可荣华富贵，享受一生，这一战若败了，大家就只有死路一条！”

凤凤嫣然道：“他们当然知道，只要是老伯答应过的话，从来没有不算数的！”

老伯道：“所以现在他们不但士气极旺，而且都已抱定不胜不战的决心。”

凤凤道：“现在，你已将他们全部调集到飞鹏堡？”

老伯道：“不错。”

凤凤道：“你已和他们约定，在初七那一天进攻？”

老伯道：“初七的正午。”

凤凤道：“你由正面进攻，他们当然攻后路了？”

老伯点点头，道：“我虽然没有熟读兵法，但也懂得‘前后夹攻，声东击西；虚则实之，实则虚之；出其不意，攻其不备’的道理！”

凤凤也大笑道：“你说他们那些人都正如初出猛虎，又抱定了必胜之心，就凭这一股锐气，已不是飞鹏堡那些老弱残兵所能抵挡得了。”

老伯道：“飞鹏堡的守卒虽不能说是老弱残兵，但近十年来已无人敢轻越飞鹏堡雷池一步，安定的日子过得久了，每个人都难免疏忽。”

凤凤道：“就算是一匹千里马，若久不下战场，也会养出肥膘的。”

老伯凝视着她，微笑道：“想不到你懂的事并不少。”

他忽然觉得和凤凤谈话是件很愉快的事，因为无论他说什么，凤凤都能了解。

对一个寂寞的老人来说，这一点的确比什么都重要。

凤凤长长吐出口气，道："我现在才明白，你为什么会那样有把握了。"

老伯的雄心却已消沉，缓缓道："但我却忘了我自己说的一句话。"

凤凤道："什么话？"

老伯沉声道："一个人无论什么事，都不能太有把握！"

凤凤的脸色也沉重了起来，慢慢地点了点头，黯然道："现在你明白那一注想必已被吃掉。"

老伯叹道："我虽然并没有将这计划全部说出来，但律香川早已起了疑心，当然绝不会放过他们了。"

凤凤道："那些青年的勇士当然也不会知道你这边已有了变化。"

老伯黯然道："他们就算听到这消息，只怕也不会相信。"

他知道他们信赖他，就好像信徒们对神的信赖一样。

因为老伯就是他们的神，永远的、不败的神！

凤凤道："所以他们一定还是会按照计划，在初七那一天的正午进攻？"

老伯点点头，目中已不禁露出悲伤之色。因为他已可想象到他们的遭遇。

这些年轻人现在就像是一群飞蛾，当他们飞向烈火，却还以为自己终于已接近光明。

也许直到他们葬身在烈火中之后，还会以为自己飞行的方向很正确。

因为这方向是老伯指示他们的……

老伯垂下头，突然觉得心里一阵刺痛，直痛到胃里。

他平生第一次自觉内疚。

他发觉这种感觉甚至比仇恨和愤怒，更痛苦得多。

凤凤也垂下头，沉默了很久，黯然叹息着道："你训练这一组年轻人，必定费了很多苦心？"

老伯捏紧双手，指甲都已刺入肉里。

有件事他以前总觉得很有趣——人到老年后，指甲反而长得快了。

凤凤又沉默了很久，忽然抬起头，逼视着他，一字字道："现在你难道要眼看着他们被吃掉？"

老伯也沉默了很久，缓缓道："我本以为手里捏着的是副通吃的点子，谁知却是通赔。”

凤凤道：“所以你……”

老伯道：“一个人若拿了副通赔的点子，就只有赔！”

凤凤道：“但现在你还有转败为胜的机会。”

老伯道：“没有。”

凤凤大声道：“有！一定有！因为现在你手里的点子没有亮出来。”

老伯道：“纵然还没有亮出来，也没有人能改变了。”

凤凤道：“你怎么又忘了你自己说的话，天下没有绝对的事！”

老伯道：“我没有忘，但是……”

凤凤打断了他的话，道：“你为什么不叫马方中去通知虎组的人，告诉他们计划已改变？”

老伯道：“因为我现在已不敢冒险。”

凤凤道：“这也算冒险？你岂非很信任他？”

老伯没有回答。

他不愿被凤凤或其他任何人了解得太多。

马方中若不死，就绝不忍心要他的妻子儿女先死！

这是人之常情。

马方中是人。

他的妻子儿女若不死，就难免会泄露老伯的秘密。

女人和孩子都不是肯牺牲一切，为别人保守秘密的人。

老伯比别人想得深，所以他不敢再冒险。

他现在已输不起。

所以他只叹息一声，道：“就算我想这么样做，现在也已来不及了。”

凤凤道：“现在还来得及！”

她不让老伯开口，很快地接着道：“现在还是初五，距离初七的正午最少还有二十个时辰，已足够赶到飞鹏堡去。”

这地方根本不见天日，她怎么能算出时日来的？因为女人有时就像野兽一样，对某种事往往会有极神秘的第六感。

老伯了解这一点，所以他绝不争辩。

他只问了一句：“现在我能叫谁去？”

凤凤道：“我！”

老伯笑了，就好像听到一件不能不笑的事。

凤凤瞪眼道："我也是人，我也有腿，我为什么不能去？"

老伯的回答很简单，道："因为你不能去。"

凤凤咬着牙，道："你还不信任我？"

老伯道："我信任你。"

凤凤道："你以为我是个弱不禁风的女人？"

老伯道："我知道你不是。"

凤凤道："你怕我一出去就被人捉住？"

这次老伯才点了点头，叹道："你去比马方中去更危险。"

凤凤道："我可以等天黑之后再出去。"

老伯道："天黑之后他们一样可以发现你，也许比白天还容易。"

凤凤道："但他们既然认为你已高飞远走，就不会派人守在这里。"

老伯道："律香川做事一向很周密。"

凤凤道："现在他要做的事很多，而且没有一件不是重要的。"

老伯道："不错。"

凤凤道："所以，至少他自己绝对不会守在这里。"

老伯点点头，这点他也同意。

凤凤道："他就算留人守在这里，也只不过是以防万一而已，因为谁也想不到你还留在这里。"

老伯也同意。

凤凤道："所以，他们也绝不会将主力留在这里。"

老伯沉思着，缓缓道："你是说他们就算有人留在这里，你也可以对付的？"

凤凤道："你不信？"

老伯看着她，看着她的手。她的手柔若无骨，只适于抚摸，不适于杀人。

凤凤道："我知道你一见到我时，就在注意我的手，因为你想看我是不是会武功。"

老伯承认。他看不出这双手练过武——这也正是他要她的原因之一。

凤凤道："但你却忘了一件事，武功并不一定要练在手上的。"

她的腿突然飞起。

第二十六章

远走高飞

练过掌力的手，当然瞒不过老伯。

握过刀剑的手，也瞒不过老伯。

甚至连学过暗器的手，老伯都一眼就能看出。

但凤凤练的是鸳鸯腿。

所以她瞒过了老伯。

老伯现在才明白她的腿为什么夹得那么紧。

这也许是因为他已太久没有接近过女人，没有接近过女人的腿。

一刹那间，她已踢出了五腿。她踢得很快、很准确，而且很有力。

这点老伯看得出。她停下来的时候，并没有脸红，也没有喘气。

老伯目光闪动，道："这是谁教给你的？"

凤凤道："高老大，她始终认为女人也应该会点武功，免得被人欺负。"

她抿着嘴一笑，又道："但她认为女人就算练武，也不能将一双手练粗，因为男人都不喜欢手粗的女人，而且她还说……"说到这里，她的脸忽然红了。

老伯道："她还说了什么？"

凤凤垂下头，咬着嘴唇道："她还说……女人的腿愈结实愈有力，就愈能让男人快乐。"

老伯看着她的腿，想到那天晚上她腿的动作。

他心里忽然升起一种欲望。

他已有很多年不再有这种欲望。

凤凤眼波流动，已发现他在想着什么，突然轻巧地躲开，红着脸道："现在不行，你的伤……"

她拒绝，并不是因为她真的要拒绝，只不过因为关心他。

对男人来说，没有什么能够比这种话更诱惑的了。

在这种情况下，一万个男人中最多也只有一个能控制住自己的欲望。

幸好老伯就是那唯一的例外。

所以他只叹了口气，道："看来你那高老大不但很聪明，而且很可怕。"

凤凤道："她的确是的，但她却说，愈可怕的女人，男人反而愈觉得可爱。"

老伯微笑道："这句话我一定会永远记得。"

凤凤眨了眨眼，道："现在，你总该相信我了吧？"

老伯道："我相信。"

凤凤欢喜嚷道："你肯让我去了？"

老伯道："不肯。"

凤凤几乎叫了起来，道："为什么……为什么？"

老伯道："你就算能离开这里，也无法到达飞鹏堡。"

他沉着脸又道："这条路上现在必定已到处都有他们的人，你不认得他们，他们一定认得你。"

凤凤道："我不怕。"

老伯道："你一定要怕。"

凤凤道："你认为我的武功那么差劲？"

老伯道："据我所知，律香川的手下至少有五十个人能活捉你，一百个能杀了你！"

他当然知道。

律香川的手下，以前就是他的手下。

凤凤垂下头，看着自己的腿，忍不住道："你说只有五十个能活捉我，反而有一百个人能杀我？"

老伯叹道："因为捉一个人，比杀了他更难得多，你若连这道理都不懂，怎么能走江湖？"

凤凤眼波流动，忽又抬头，道："但他们绝不会杀了我的，是不是？"

老伯道："不错，因为他们一定要从你口中逼问我的下落。"

凤凤道：“那样就更好了。”

老伯皱了皱眉，道：“怎么会更好？”

凤凤道：“因为他们若问我，我就会告诉他们，你已坐着马车远走高飞了，我甚至还会指出一条路，叫他们去追。”

她脸上带着很得意的表情，因为她总算已想到了一点老伯没有想到的地方。

老伯道：“你认为他们会相信你的话？”

凤凤道：“当然会相信，因为他们始终还认为我是他们那一边的人，怎么会想到……想到我已对你这么好呢！”

她垂下头，脸又红了。

老伯道：“他们若问你，是怎么逃出来的，你怎么说？”

凤凤道：“我就说，因为你受的伤很重，自知已活不长了，所以就放了我一条生路。”

她接着又道：“我这么样说，连律香川都不会不信，因为你若要杀我，我早就死了……”

她慢慢地抬起头看着老伯，目光是那么温柔。

她的嘴虽已没有说话，但眼睛却在说话——说出了她的情意、她的感激。

老伯也在看着她，过了很久，突然摇头，道：“我还是不能让你去！”

凤凤的手渐渐握紧，突然以手掩面，失声痛哭，道：“我知道你为什么不让我去，因为你还是不信任我，还以为我会出卖你，你……你……你难道还看不出我的心？”

老伯长长叹息了一声，柔声道：“我知道你要走是为了我，但你知不知道，我不让你去，也是为了你？”

凤凤用力摇着头，大声道：“我不知道，我也不懂。”

老伯柔声道：“现在你也许已有了我的孩子，我怎么能让你去冒险？”

对这件事他比以前更有信心，因为他已发觉自己并没有那么老。

他既然还能有欲望，就应该还能有孩子。

凤凤终于勉强忍住了哭声，道：“就因为我已可能有了你的孩子，所以才更不能不去。”

老伯道：“为什么？”

凤凤抽泣着，一字字道：“因为我不该让孩子一生出来就没有父亲！”

这句话就像条鞭子，卷住了老伯的心。

凤凤凄然道：“你自己也该知道，这已是你最后的希望，你绝不能再失去这一组人。你的仇敌不止律香川，还有万鹏王，就凭你一个人的力量，无论如何也斗不过他们！你就算还能活着出去，也只有死。”

这些话她刚才已说过，不过现在已完全没有恶意。

她每个字都说得那么沉痛，那么恳切。

老伯无法回答，更无法争辩，因为他也知道她说的是事实。

他对自己也实在没有信心。

凤凤凝视着他，忽然在他面前跪下，流着泪道：“求求你，为了我，为了孩子，为了你自己，你都应该让我去，否则我宁可现在就死在你面前。”

老伯又沉默了很久，终于一字字缓缓道：“距离飞鹏堡不远的小城里，有个镖局，以前的主人叫武老刀，武老刀死了后，镖局已封闭。”

凤凤眼睛亮了，失声道：“你……你肯了？”

老伯没有回答，只是接着道：“你只要一走进那镖局，就会看到一个又矮又跛的跛老人。他一定会问你是谁，你千万不能回答，连一个字都不能回答，要等他问你七次之后，你才能说‘潜龙升天’，只说这四个字，他就明白是我要你去的了。”

凤凤突又伏倒在他腿上，失声哭泣。

连她自己也分不清这时应该悲哀，还是值得欢喜。

无论如何，他们现在总算有一线希望。

但又有谁知道那是种什么样的希望呢？

这密室的确建造得非常巧妙。

凤凤潜入池水，找着了水池边的一柄把手，轻轻一扳，就觉得水在流动。

她顺着流动的水滑出去，往上一升，就发觉人已在井里。

抬起头，星光满天。

好灿烂的星光，她第一次发觉星光竟是如此辉煌美丽。

连空气都是香甜的。

她深深地吸进一口气，忍不住笑了，连眸子里都充满了笑意。

她无法不笑，无法不得意。

“没有人能欺骗老伯，没有人能出卖老伯！”

想到这句话，她更几乎忍不住要笑出声来。但现在她当然还不能笑得太开心，她还要再等一等，等老伯已绝对听不到她笑声的时候。到了那时，她随便要怎么笑都行！

星光满天。

一个美丽的少女慢慢地从井里升起，她穿的虽然是件男人的衣裳，但湿透了之后就已完全紧贴在她身上。

星光下，湿透了的衣裳看起来就像是透明的。

淡淡的星光照着她成熟的胸，纤细的腰，结实的腿……照着她脸上甜蜜美丽的微笑，照着她比星光还亮的眸子。

她看来像是天上的仙子，水中的女神。

夜很静，没有声音，没有人。

她忽然银铃般笑了起来，笑得弯下了腰。无论她笑得多开心，都是她应得的。

因为她不但比别人美丽，也比别人聪明——甚至比老伯都聪明。

为什么少女们总能欺骗老人？甚至能欺骗比她精明十倍的老人？

是不是因为老人们都太寂寞？所以对爱情的渴望反而比少年更强烈？

所以连一个目不识丁的少女，有时也会令一个经验丰富、睿智饱学的老人沉迷在她的谎言里。

是她真的骗过了他？

还是他为了要捕捉那久已逝去的青春，所以在自己骗自己？

无论如何，青春总是美丽的。

自由更美丽。

凤凤只觉得自己现在自由得就像是这星光下的风，全身都充满了青春的欢乐、青春的活力。

她还年轻，现在她想做什么，就能做什么，想到哪里去，就能到哪里去。

“没有人比老伯聪明！没有人能令老伯上当！”

她忍不住纵声大笑了起来，现在她随便想怎么笑都行，想笑多久，就笑多久，想笑得多大声，就笑得多大声。

可是她笑得好像还太早了些。

突然间，她笑声停顿。她看到了一条人影。

第二十七章

杀手同门

这人就像是幽灵般，动也不动地站在黑暗中，站得笔直。

凤凤看不清他的脸，更看不出他脸上的表情，只能看到他的眼睛。

一双野兽般闪闪发着光的眼睛。

她突然觉得很冷，不由自主用双手掩住了胸膛，低喝道："你是什么人？"

人影没有动，也没有出声。他究竟是不是人？

凤凤冷笑道："我知道你是干什么的，你也应该认得我！"

留守在这里的人，当然应该是律香川的属下。

律香川当然已将她的模样和容貌详细地告诉了他们，甚至已绘出了她和老伯的画像，交给他们带在身边。

律香川做事之仔细周密，近年来在江湖中已博得极大的名声。

凤凤昂起头，大声道："快回去告诉你们的主子，就说我……"

她突然警觉。这个人若真是律香川的属下，此刻早已该扑过来，怎会还静静地站在那里。

她毕竟还没有得意忘形，一想到这里，身子忽然摇了摇，像是要跌倒。有风在吹，她身上的衣裳已贴得没那么紧。她故意将衣襟散开，露出衣里雪白晶莹、赤裸着的胴体。

星光灿烂。

她知道自己的胴体在星光下看来是多么诱人，也知道在哪种角度才能让对方隐隐约约看到最诱人的地方，这本是她的武器。

她的确是懂得将自己的武器发出最大的效力。

衣襟飞扬。星光恰巧照在她身上最诱人犯罪的地方。

只要不是瞎子，就绝不会错过，只要是男人，就一定会心动。

男人只要一心动，她就有法子对付。

这人不是瞎子，是个眼睛很亮的男人。

凤凤呻吟着，弯下腰，抱紧了自己。

她知道对方已看到，就及时将自己掩盖。

她不想让这人看得太多。

若要再看多些，就得付出代价。

她呻吟着，道：“快来……来扶我一把，我的肚子……”

这人果然忍不住走了过来。

她看到这人的脚，正慢慢地向她面前移动。

一双很稳定的脚，但穿着的却是双布鞋，而且已十分破旧。

穿破鞋的男人，绝不会是个了不起的人，他这一生也许还没有见过像凤凤这么美丽的女子。

凤凤嘴角又不禁露出一丝狡黠的微笑，呻吟的声音更可怜，这也是她的武器。

她知道男人喜欢听女人的呻吟，愈可怜的呻吟愈能令人销魂。

就只这呻吟声，已足以唤起男人的欲望。

她非但不怕，而且也很懂得如何利用男人的这种欲望。

这人的脚步果然仿佛加快了些。

凤凤伸出手，颤声道：“快……快，我已经受不了了……”

这是句很有趣的双关话，连她自己都觉有趣。

这人只要是个活人，就必定难免被她引诱得神魂不定。

她算准了这点。

她的腿突然飞起。

刹那间，她已连环踢出五腿，每一招踢的都是要害，无论这人是谁，先踢死他再说。

她还没有亲手杀死过人，想到很快就会有个活生生的人死在脚下，她的心也不禁开始跳起来。

就在这一刹那，她突然觉得足踝上一阵剧痛，头脑一阵晕眩。

然后她就发觉她整个人已经被人倒吊着提在手里，就像是提着一只鸡。

她想挣扎，但是踝上那种痛彻心脾的痛楚，已使她完全丧失了反抗的力量和勇气。

这人用一只手提着她，还是动也不动地站在那里，他的手伸得很直，那双明亮的眼睛，正在看她的脸。

她脸上带着可怜的表情，泪已流了下来，颤声道："你捏痛了我，快放我下来。"

这人还是不声不响，冷冷地盯着她。

凤凤流着泪道："我的脚被你捏碎了，你究竟想什么？难道想……想……"

她没有说出那两个字。

她要这男人自己去想那两个字，自己去想象那件事。

"求求你，不要那样做，我怕……我还是个女孩子。"

这不是哀求，而是提醒，提醒他可以在她身上找到什么样的乐趣。

她不怕那件事。

那本是最后的一样武器，无疑也是最有效的一种。

"你看我的脚，求求你，我真的已受不了。"

这已不是提醒，而是邀请。

她没有穿鞋子。

她的脚纤秀柔美，显然一直都保护得很小心，因为她知道，女人的脚在男人心目中，和那件事多么接近。

但假如世上只有一个男人拒绝这种邀请，也许就是她现在遇着的这个人。

他的确在看着，但却好像在看着个死人似的，目光反而更冷，更锐利。

凤凤终于明白自己遇着的是个怎么样的人了！

这人也许没有老伯的威严气势，没有律香川的阴沉狠毒，但却比他们更可怕。

因为她忽然发现这人眼睛里有种奇特的杀气。

很多人眼睛都有杀气，但那种杀气总带着疯狂和残酷。

这人却不同。

他是完全冷静的，冷静得出奇，这种冷静远比疯狂更令人恐惧。

凤凤的心也冷了下来，不再说话。

这人又等了很久，才一字字道："你还有没有话说？"

凤凤叹了口气，道："没有了。"

她已发觉无论用什么法子来对付这人，都完全没有用。

这人冷冷道："很好，现在我问一句，你就要答一句。"

凤凤咬着唇，道："我若答不出呢？"

这人道："你一句话答不出，我就先捏碎你这只脚！"

他说话的态度还是很冷静，但却没有人会怀疑他说的是假话。

他一字字接着道："你只要有两句话答不出，我就把你的手脚全都捏碎。"

凤凤全身都已冰冷，颤声道："我……我明白了，你问吧。"

这人道："你是什么人？"

凤凤道："我姓华，叫凤凤。"

这人道："你怎会到这里来了？来干什么？"

凤凤犹豫了。

她犹豫，并不是因为她要为老伯保守秘密，而是因为她无法判断说出来后，会有什么样的后果。

这人若是老伯的朋友，在他面前说出老伯的秘密，岂非也是不智之举？

但若不说呢？是不是能用假话骗得过他？

她一向很会说谎，说谎本是她职业的一部分，但是在这人面前，她却实在全无把握。

这人冷冷道："我已不能再等，你……"

他瞳孔忽然收缩，忽然将凤凤重重往地下一摔，人已飞掠而起。

凤凤被摔得全身骨节都似已将松散，几乎已晕了过去。

只见他人影飞鹰般没入黑暗，黑暗中突也掠出两个人来。

这两人动作很快，手里刀光闪动，一句话没有说，刀光已划向他的咽喉和小腹。

两柄刀一上一下，不但快，而且配合得很好。

这两人显然也是以杀人为职业的人。

只可惜他们遇见的是这一行的专家。

他们的刀刚砍出，就飞起。

然后他们的人也飞起，跌下。

凤凤甚至连这人将他们击倒的动作都没有看清，也没有听见他们的惨呼。

她只听见一种奇异的、令人毛骨悚然的声音。

她从未听过如此可怕的声音——很少有人能听到这种声音，那是骨头碎裂的声音。

星光本来是温柔的，夜本来也是温柔的，但这种声音却使得天地间立刻充满一种残酷诡秘之意。

凤凤忍不住激灵灵打了一个寒噤，似已将呕吐。

她看着这人把尸体提起，拖入屋子里，又将两把刀沉入井底。

他不将尸体掩埋，因为那也会留下痕迹。

他将尸体塞入了马家厨房的灶里！

凤凤虽然没有看见，但却已发觉他每一个动作都极准确、极实际，绝没有浪费一分力气，也没有浪费一刻时间。

不但杀人时如此，杀人后也一样。

然后她又看着这人走回来。

他脚步还是那么镇定，态度还是那么冷静。

她忽然想起他是什么人了！

“孟星魂！你就是孟星魂！”

凤凤并没有见过孟星魂。

孟星魂从不喜欢到快活林中找女人，几乎从没有在快活林出现过。

他就算出现，也是在深夜，确信没有人会看到他的时候。

几乎很少有人知道，世上还有他这么一个人存在，他这一生，本就是活在阴影中的，直到遇见小蝶时，才看见光明。

凤凤没有见过他，却知道他！

她已在快活林中生活了很久，在她们那些女孩子之中，有种很神秘的传说，快活林有个看不见的幽灵，名字叫：孟星魂！

最近她又听老伯提起这个名字。

是她先问老伯！

“你在这世上已没有亲人？”

“有，还有个女儿。”

“她出嫁了？”

老伯勉强点点头。

因为他自己也不能确定，孟星魂能不能真算是他的女婿。

“女婿”这两个字，本包含了一种很亲密的感情，他没有这种感情！

“你的女婿是什么人？”

“孟星魂。”

他不经意就说出了这名字，因为他想不到这名字会令凤凤多么震惊。

“你不想去找他们？”

“因为我不想让他们被牵连。”

“为什么？”

老伯没有回答，他不愿任何人知道他心里的歉疚和悔恨！

他无疑已毁了他女儿的一生。

现在他只希望他们能好好活下去，安安定定地过一生。

只希望他们永远不再沾上一丝血腥。

除此之外，现在他还能做什么？

孟星魂已很久没有杀人！

他本已不愿再杀人。

现在他虽然看来还是同样冷静，但他的胃却已收缩，痉挛，似将呕吐。

因为他自觉满手血腥。

“孟星魂！你就是孟星魂！”

听到这句话，他也不禁吃惊，厉声道：“你怎么知道我是谁？”

凤凤笑了，忽然道：“我不但知道你是孟星魂，还知道你就是老伯的女婿。”

她这句话刚说完，就看到孟星魂蹿了过来，快如闪电一击，她眼睛刚看到他的动作，人已被一把揪起。孟星魂用力揪住她的衣襟，厉声道：“你认得老伯？”

凤凤冷笑道："难道只有你能认得他？"

孟星魂道："你怎会认得他的？"

凤凤抿了抿嘴，冷冷道："那是我们的事，跟你有什么关系？"

她态度突然变了，因为她已有恃无恐。

孟星魂也已感觉到她态度的变化，立刻问道："你跟他又有什么关系？"

凤凤眼珠一转，悠然说道："我跟他的关系，总比你密切得多，你最好也不必问得太清楚，否则……"

孟星魂道："否则怎么样？"

凤凤用眼角瞟着他，道："否则你就得叫我一声好听的，因为将来生出的孩子，就是你的小舅子，你怎么能对我这样不客气！"

孟星魂吃惊地看着她，不但惊奇，而且怀疑。

他当然看得出她是个非常美丽、非常动人的女孩子，但他已看出了她天性的卑贱。

"一个人竟连自己都能出卖，还有什么人是她不能出卖的？"

他永远想不到老伯竟会和这么样一个女人，发生如此密切的关系。

凤凤看着他的眼色，冷冷道："我说的话你不信？你看不起我？"

孟星魂绝不否认。

凤凤冷笑道："我知道你已看出我是个怎么样的人，所以才看不起我，但你又比我高明多少呢？你还不是跟我一样，一样是卖的！"

她又抿了抿嘴，道："但是我还比你强些，因为我还能使别人快乐，你却只懂得杀人。"

孟星魂的心在刺痛，咬着牙，慢慢放开手。

凤凤的衣襟又散开，她晶莹的胸膛又露了出来，她并没有掩盖住的意思，眼波流动，忽然展颜一笑，嫣然道："其实我也不该对你太凶的，因为我们毕竟总算是一家人。"

孟星魂道："你……你也是从高老大那里出来的？"

凤凤点点头，微笑道："所以我才说，我们本是一样的人，你若对我客气些，我也会对你客气些，你若肯帮我的忙，我也会帮着你。"

她突然又沉下脸，道："但你若想在什么人面前说我的坏话，我就有法子对付你。"

孟星魂看着她，看着她得意的表情，几乎忍不住又想呕吐。

他面上却仍然毫无表情，沉声道："既然如此，你当然一定知道老伯在哪里。"

凤凤昂起头，悠然道："那也得看情形。"

孟星魂道："看什么？"

凤凤道："看你是不是已明白我的意思。"

孟星魂沉默了很久，终于慢慢地点点头，道："我明白。"

他的确明白，她怕他在老伯面前说的话太多。

凤凤嫣然道："我就知道你一定会明白的，你看来并不像是个多嘴的人。"

她又变得很甜，轻轻道："我们以前是一家人，以后也许还是一家人，我们两个人若能一条心，以后的好处还多着哩。"

孟星魂捏紧手掌，因为他已几乎忍不住要一个耳光掴过去。

他实在不懂，老伯怎么会要一个这样的女人，怎能忍受一个这样的女人？

老伯本该一眼就将她看透的。

孟星魂当然不懂，因为他不是老伯，也许因为他还年轻。

年轻人和老人之间，本就有着一段很大的距离，无论对什么事的看法，都很少会完全相同的！

所以老人总觉年轻人幼稚愚蠢，就正如年轻人对老人的看法一样。

年轻人虽然应该尊敬老人的思想和智慧。

但尊敬并不是赞成！

服从也不是！

第二十八章

血脉相连

繁星满天，星星，不是流星。

流星的光芒虽灿烂，但在瞬间就会消失。

只有星星才是永恒的，光芒愈暗淡的星，往往也愈安定。

虽然它并不能引起人们的赞美和注意，但却永远不变，永远存在。

做人的道理，是不是也一样？

孟星魂抬起头，凝视着满天繁星，心情终于渐渐平静。

这一年来他渐渐学会忍受一些以前所不能忍受的事。

直等他心情完全平静后，他才敢看她。

因为他本已动了杀机，已准备为老伯杀了这女人。

但他并不是老伯，怎么能为老伯做主？

没有人能替别人做主——没有人能将自己当作主宰，当作神。

孟星魂在心里叹息了一声，缓缓道："你的意思我已完全懂得，现在你能带我去见老伯？"

凤凤眼波流动，说道："你是不是一定要去见他？"

孟星魂道："是。"

凤凤叹了口气，说道："其实，你不见他反而好些。"

孟星魂道："为什么？"

凤凤悠悠说道："也许你还不知道，他现在已没有什么东西能给你的了，除了麻烦外，什么都没有。"

她咬着嘴唇轻轻道："但是我却能给你……"

孟星魂不想听她说下去，他生怕自己无法再控制自己，所以很快打断了她的话，说道："我去找他，并不想要他给我什么。"

凤凤眨眨眼，道："难道你还能给他什么？"

孟星魂一字字道："只要是我有的，我全都能给他。"

凤凤道："我实在没想到你是个这样的人。"

孟星魂道："你以为我是个怎么样的人？"

凤凤道："一个聪明人。"

孟星魂道："我不聪明。"

凤凤盯着他，突又笑了，哈哈笑着道："我刚才不过在试你，看你是不是真的可靠，否则我又怎敢带你去呢？"

孟星魂冷冷道："现在你已试过了。"

凤凤笑道："所以现在我放心了，你跟我来吧。"

她转过身，面上虽仍带着笑容，但目中却已露出了怨毒之色。

她本已如飞鸟般自由，想不到现在又要被人逼回笼子里去。

为了换取这自由，她已付出代价。

现在她发誓，要让孟星魂付出更大的代价来还给她。

这密室的确就像是个笼子。

老伯盘膝坐在那里，他本想睡一下的，却睡不着。

只有失眠的人，才知道躺在床上睡不着，是件多么痛苦的事。

所以他索性坐起来，看着面前的水池。

水池很平静。

凤凤走时所激起的涟漪，现在已完全平静。

可是她在老伯心里激起的涟漪，却未平静——老伯心里忽然觉得有种说不出的空虚寂寞，就仿佛突然失去了精神的寄托。

"难道我已将一切希望都寄托在她的身上？"

老伯实在不愿相信，就算这是真的，也不敢相信，因为他深知这是件多么危险的事。

但他又不能不承认。

因为他现在一心只想着，希望她能快点回来。

除了这件事外，他已几乎完全不能思索。

他忽然发现他并没有别人想象中那么聪明，也没有他自己想象中聪明。

多年前他就已判断错误过一次。

那次他要对付的人是汉阳大豪，周大胡子不但好酒好色，而且贪财。

一个人只要有弱点，就容易对付。

所以他先送了个美丽的女人给周大胡子，而且还在这美人身上挂满了珍贵的宝石和珠翠。

他以为周大胡子定已将他当作朋友，对他绝不会再有防备。

所以他立刻以最快的速度赶到汉阳，却不知周大胡子早已准备好埋伏在等着他。

他带着十二个人冲入周大胡子的埋伏，回来时只剩下两个人。

那次的错误，给了他一个极惨痛的教训，他本来发誓绝不再犯同样的错误。

谁知他又错了，而且错得更惨了。

“就算神也有算错的时候，何况人？”

老伯一生所作的判断和决定，不下千百次，只错了两次并不算多。

但除这两次外，是不是每件事都做得很对？

他的属下对他的命令虽然绝对尊敬服从，但他们究竟是不是真正同意他所做的事呢？抑或只不过因为对他有所畏惧？

想到这里，他忽然觉得全身都是冷汗。

在这一刻，他这一生中的胡作非为，突然又全都在他眼前出现，就好像一幅幅可以活动的图画，虽已褪色，却未消失。

他忽然发现这些事做得并非完全正确，有些假如他还能重新去做一遍，就绝不会像以前那么样做了。

他只记得那两次错误，因为只有那两次错误是对他不利的。

还有些错误对他自己虽没有损害，却损害了别人，而且损害得很严重。

这些错误他不但久已忘怀，而且忘得很快。

“为什么一个人总要等到了穷途末路时，才会想到自己的错呢？”

林秀、武老刀，还有他女儿，还有其他很多很多，岂非都已做了他错误判断的牺牲？

他为什么一直要等到现在才想到这些人，一直到现在才觉得歉疚悔恨？

为什么别人对不起他，他就一直记恨在心，他对不起别人的，却很快就会忘记?

老伯捏紧双手，掌心也满是冷汗。

他几乎已不敢想下去，不敢想得太深。

幸好这里有酒，他挣扎着下床，找到一坛酒！正想拍碎泥封，突然听到水声“哗啦啦”一响。

他转身，就看到了孟星魂！

孟星魂是个很妙的人。

他无论于什么地方出现，看来都是那个样子——就好像你一个人走到厕所里去的样子一样。

平常他看来并不显得十分平静，因为太冷静的人也会引人注意。

只不过他无论心里有多激动，脸上也不会露出来，更不会大哭大笑，大喊大叫，但他也绝不是麻木。

他的感情也许比任何人都丰富，只不过他一向隐藏得很好而已。

他看着老伯时，老伯也正在看着他。

他们就这样静静地看着对方，既没有惊喜的表情，也没有热烈的招呼。

谁也看不出他们心里多么激动，但他们自己却已感觉得到，甚至已感觉到连血都比平时流得快些。

这种感情绝不是“激动”两个字所能形容。

他们本没有这种感情。

严格说来，他们只不过还是陌生人，彼此都还没有了解对方，连见面的时候都很少。

但在这一刹那间，他们却突然有了这种感情。

“因为他是我女儿的丈夫！”

“因为他是我妻子的父亲！”

这句话他们并没有说出来，甚至连想都没有真正想到过。他们只隐约觉得自己和对方，已有了种奇异和神秘的联系，分也分不开，切也切不断。

因为他们在这世上最亲近的人，都已只剩下一个。

那就是他的妻子，他的女儿。

除了他们自己外，没有人能了解这件事的意义有多么重要，多么深切。

老伯突然道：“你来了？”

孟星魂点点头，道：“我来了！”

这句话并没有什么意义，他们要说这么一句话，只不过因为生怕自己若再不说话，热泪就已将夺眶而出。

老伯道：“你坐下。”

孟星魂就坐下。

老伯凝视着他，又过了很久很久，忽然笑了笑道：“我也曾想到过，世上假如还有一个人能找到这里来，这人就一定是你。”

孟星魂也笑了笑，道：“除了你之外，也没有别人造得出这么样一个地方。”

老伯道：“这地方还不够好。”

孟星魂道：“还不够？”

老伯道：“不够，因为你还是找来了。”

孟星魂沉默了半晌，缓缓道：“我本来未必能找得到的！”

他虽然并没有提起凤凤，也没有去看一眼，但他的意思老伯当然懂得。

凤凤就在旁边，他们谁都没有去看一眼。

老伯只笑了笑，道：“你怎么会等在这里的呢？难道没有去追那辆马车？”

孟星魂道：“我去追过。”

老伯道：“你追得并不远？”

孟星魂道：“不远。”

老伯道：“什么事会让你回头的？”

孟星魂道：“两件事。”

老伯道：“哪两件事？”

孟星魂缓缓道：“有人看见那辆马车往那条路上走的。”

老伯道：“有几个人？”

孟星魂道：“我见过其中一个。”

老伯道：“哦？”

孟星魂说道："他并不是守口如瓶的人，所以……"

老伯道："所以怎么样？"

孟星魂又笑了笑，淡淡道："我若是你，在那种情况下，就一定会叫那个人的嘴永远闭上。"

老伯微笑道："你我都知道，在那种情况下，叫人闭嘴的方法只有一种。"

孟星魂道："不错，我本来不该见到那个人的，却见到了他，这其中当然有原因。"

老伯道："你想的什么原因？"

孟星魂道："我想到了两种可能。"

老伯道："哪两种？"

孟星魂道："若非你走的根本不是那条路，就是你根本不在那辆马车上！"

老伯目光闪动，说道："难道就没有第三种可能？"

孟星魂道："没有！"

老伯道："你难道没有想到过，也许那只不过是我的疏忽？"

孟星魂道："在那种情况下，你绝不可能有这种疏忽。"

老伯道："为什么？"

孟星魂道："因为你若是这样的人，三十年前就已经死了。"

老伯凝视着他，目中带着笑意，缓缓道："想不到你居然很了解我。"

孟星魂道："我应该了解。"

老伯道："我们见面的时候并不多。"

孟星魂道："你是否了解一个人，并不在见面的时候多少，有时就算是已追随你一生的人，你也未必能了解他。"

老伯沉思着，忽然长长叹息了一声，道："你的意思我懂。"

他不但懂，而且同意。

因为这两天来，他对很多事的观念，都有很大的改变。

若是在三天前，他一定会觉得孟星魂这句话很荒谬。

那时他绝不承认自己居然会看错律香川，现在他才知道，他非但没有完全了解律香川，连他自己的女儿，他了解得都不多。

孟星魂也在沉思着，慢慢地接着道："但还有些人你只要见过他一次，就会觉得你已了解他，就好像你们本就是多年的朋友。"

老伯道："是否因为他们本就是同一种人？"

孟星魂目光似在远方，道："我也不知道是不是因为如此，我只知道人与人之间，往往会有很奇妙的情感，无论谁都无法解释！"

老伯的目光也变得很遥远，缓缓道："譬如说——你和小蝶？"

孟星魂笑笑，笑声中带着种说不出的味道，因为他只要想起小蝶，心里就充满了甜蜜的幸福，但却有种缠绵入骨的相思和挂念。

"这几天，她日子过得好吗？吃不吃得下，睡不睡得着？"

他知道小蝶一定也在思念着他，也许比他思念更深、更多。

因为他还有许多别的事要去做，要去思索。

她却只有思念他，尤其是在晚上，星光照在床前，浪涛声传入窗户的时候。

"这几天来，她一定又瘦了很多！"

老伯一直在看着他的眼睛，也看出了他眼睛里的思念。

知道有人对自己的女儿如此关怀挚爱，做父亲的自然也同样感动。

老伯心里突然有种说不出的激动，几乎忍不住要将这少年拥在怀里。

但老伯并不是善于表露自己情感的人，所以他只淡淡地问了句："她知不知道你这次出来，是为了找我的？"

孟星魂道："她不但知道，而且就是她要我来的，因为她一直都在记挂着你！"

老伯笑得很凄凉，又忍不住问道："她没有埋怨过我？"

孟星魂道："没有，因为她不但了解你，而且崇拜你，她从小就崇拜你，现在还是和小时候同样崇拜你，以后绝不会改变。"

老伯心里突又一阵激动，热泪几乎已忍不住要夺眶而出，哑声道："但我却一直错怪了她——"

孟星魂打断了他的话，道："你也用不着为这件事难受，因为现在她已活得很好，无论如何，以前的事都已过去，最好谁也莫要再提起。"

提起这件事，他心里也同样难受。

他知道现在已不是自怨自艾的时候，现在的问题是，怎么样创造将来，绝不能再悲悼往事。

所以他立刻改变话题，道："我知道你绝不可能会有那样的疏忽，所以立刻回头，但这还不是让我回头的唯一原因。"

老伯胸膛起伏，长长吐出口气，道："还有什么原因？"

孟星魂道："马方中一家人的死因，也很令我怀疑。"

老伯黯然道："你看见了他们的尸体？"

孟星魂点点头，道："他们本来是自己服毒而死的，但却故意要使人认为他们是死在别人的刀下，这其中当然也有原因。"

老伯神情更惨黯，道："你已想到他们是为我而死的？"

孟星魂道："因为他们当然也知道，只有死人才能真正保守秘密。"

老伯长叹道："但他们的秘密，还是被你发现了！"

孟星魂道："我并没有发现什么，只不过在怀疑而已。"

老伯道："所以你才到这里来？"

孟星魂道："我本已准备往另一条路追了，因为我也看不出这里还有藏得住人的地方。"

老伯沉吟着，道："你真的已准备往另一条路去追了？"

孟星魂点点头。

老伯道："若是追不出什么来呢？你是不是还会回到这里来等？"

孟星魂道："也许会。"

老伯道："你为什么不再到原来那条路上去追呢？"

孟星魂道："最主要的原因是，那辆马车到了八百里外，就忽然变得毫无消息。"

老伯失声道："为什么？"

孟星魂道："那辆马车本来很刺眼，赶车的人也很引人注意，所以一路上都有人看到，我一路打听，都有人记得那辆马车经过。"

老伯道："后来呢？"

孟星魂道："但一过了黄石镇后，就再也没有人看到过那辆马车。"

老伯道："赶车的人呢？"

孟星魂道："也没有人再见到过，车马和人都好像已突然凭空消失。"

老伯的瞳孔在收缩。

这件事他是多年前就已计划好的，他一直都认为绝不会再有差错。

现在他才发现，无论计划多么好的事，实际行动时往往也会有令人完全出乎意外的变化发生。

就因为这种变化是谁也无法事先预料得到的，所以谁也无法预先防止。

因为人毕竟不是神，并不能主宰一切。

就连神也不能！

神的意旨，也不是人人都遵守的。

一个人若能想到这一点，他对一件事的得失，就不会看得太严重了。

一个人的得失之心若淡些，活得也就会愉快得多。

过了很久，老伯才缓缓道："你若会回到这里来等，律香川当然也一样。"

孟星魂道："他绝不会自己来！"

老伯道："为什么？"

孟星魂道："第一，因为他还有很多别的事要做，他现在很得意。"

"得意"这两个字很妙。

有时那是种恭维，有时是种讽刺，有时还包含着另外一些意思。

得意的人往往就会做出一些不该做的事。

因为一个人若是太得意，头脑就会变得不太清楚了。

这点老伯当然也懂得。

孟星魂道："何况他最多也只不过觉得怀疑而已，绝不会想到井底下还有秘密，就算派人守候在这里，也绝不会派出主力。"

老伯道："这一点我也想到了。"

孟星魂道："还有第二点。"

老伯道："哦？"

孟星魂道："我敢断定他绝不会自己来找你，因为他已不必自己来。”

老伯道：“为什么？”

孟星魂笑了笑，道：“因为他相信有个人会替他找到你。”

老伯动容道：“谁？那个人是谁？”

孟星魂道：“我！”

他说出这个字，的确使一个人吃了一惊，但吃惊的人并不是老伯，而是凤凤。

老伯眼睛里神色还是很平静，非但没有露出惊讶怀疑之色，甚至还仿佛有了一丝笑意。

凤凤忽然发现这两人之间有一种很奇妙的感情，所以他们不但能互相了解，也能互相信任。

她本来很不甘心这样安安分分地坐在旁边的，可是她忽然觉得很疲倦，仿佛有种神秘的睡意正慢慢地从她脊椎里往上爬，已渐渐爬上她的头。

老伯和孟星魂的人影似已渐渐模糊，声音也似已渐渐遥远……

她拼命地想睁大她的眼睛，但眼皮却重得像是铅块……

老伯道：“你到花园去过？”

孟星魂道：“在我去的时候，那里一个人都没有。”

老伯道：“所以你很快就找到了那条地道。”

孟星魂道：“地道下还早已替我准备好了一条船！”

老伯道：“所以你就认为是他们故意让你来追踪我的？”

孟星魂道：“不错。”

老伯道：“他们没有在暗中追踪你？”

孟星魂道：“没有人能在暗中追踪我！”

老伯道：“有没有人能令你说实话？”

孟星魂道：“有……”

这就是凤凤听到他说的最后一个字。

然后她就忽然睡着。

老伯这才回过头，看了她一眼，喃喃道：“她睡得真像是个孩子。”

孟星魂道：“她已不是孩子。”

老伯沉吟着，道："是你想要她睡着的？"

孟星魂点点头。

在水井中，他用最轻的手法点了她脊椎下的"睡穴"。

老伯目中带着沉思的表情，深深道："看来你并不信任她！"

孟星魂道："你认为我应该信任她？"

老伯沉思着，忽然长长叹息了一声，道："等你到了我这样的年纪、我这样的处境，你也会信任她的。"

他慢慢地，一字字接着道："因为你已没有第二个可以信任的人。"

孟星魂道："可是你——"

老伯打断了他的话道："等你到了没人信任时，才会知道那种感觉有多可怕。"

孟星魂道："所以你一定要找个人来信任？"

老伯道："不错。"

孟星魂道："为什么？"

老伯道："那就像一个人忽然落入无边无际的大海中，只要有一根浮木漂过来，你就立刻会去紧紧抓住它。就算你明知道这根浮木并不能救你，你也会去紧紧抓住它。"

孟星魂道："但是抓得再紧也没有用。"

老伯道："虽然没有用，却至少可以使你觉得有种依靠。"

他笑了笑，笑得很苦涩，慢慢地接着道："我知道你一定会认为我这种想法很可笑，那也许只不过因为我已是个老人。老人的想法，年轻人通常都会觉得很可笑。"

孟星魂凝视着他，过了很久，才缓缓说道："我从来也没有觉得你可笑过！"

老伯绝不可笑。

他可恨、可怕，有时甚至可怜。

但他绝不可笑。

只有觉得他想法可笑的人，才真正可笑。

第二十九章

屡见杀机

凤凤睡醒的时候，发觉老伯正在轻抚着她的柔发，发已干透。她坐起来，揉了揉眼，密室中已没有别的人，孟星魂已走了。她不安地摸了摸自己的头发，勉强笑道："他什么时候走的？我居然一点都不知道。"

老伯微笑着，柔声道："你睡得很沉，我不让他吵醒你。"

凤凤皱着眉，道："我怎么会睡了这么久？"

老伯道："年轻人睡下去，就睡得很甜，只有老人却容易被惊醒……老人睡得总比年轻人少些。"

凤凤眨眨眼，道："为什么？"

老伯叹息了一声，苦笑道："因为老人剩下的时候已不多，花在睡觉上，岂非太可惜了？"

凤凤眼珠子转动着，突然噘起嘴，道："我知道你在骗我。"

老伯道："我骗你？"

凤凤冷笑道："你们一定有很多话不愿意我听见，所以故意要我睡着。"

老伯笑了，摇着头笑道："你年纪轻轻的，疑心病已经这么大了，将来怎么得了！"

凤凤低着头，弄着自己的手指，过了半晌，才慢慢地道："他什么时候走的？"

老伯道："走了已有一阵子。"

凤凤道："你……你是不是叫他去通知虎组的人了？"

老伯点点头。

凤凤用力咬着嘴唇道："你怎能叫他去？"

老伯道："为什么不能？"

凤凤道："你能保证他对你一定很忠实？"

老伯道："我不能——但我却知道他对我的女儿很好。"

凤凤道："但你莫忘了，连他自己都说过，是律香川故意让他来找你的。"

老伯道："我没有忘。"

凤凤道："就算他不会在律香川面前泄露你的秘密，但律香川一定会特别注意他的行动，对不？"

老伯道："对。"

凤凤道："律香川既然注意他的行动，只怕他一走出去，就会被律香川截住，怎么能到得了飞鹏堡？"

老伯闭上眼，脸色似已变了些。

凤凤叹了口气，摇摇头道："无论如何，你都不该将这种事交给他做的，我若没有睡着，一定不会让你这么样做。"

老伯苦笑道："你为什么要睡着呢？"

他又叹了口气，道："我现在才发觉，一个人年纪大了，想的事确实就不如年轻时周到。"

凤凤的眼睛发亮，声音突然温柔，道："但两个人想，总比一个人周到。"

老伯拉起她的手，道："你又在想什么？"

凤凤道："我在想，律香川现在一定全心全意对付孟星魂，就算他要动员所有的力量，也在所不惜。"

老伯叹道："不错，因为他知道无论动用多大的力量都值得。"

凤凤说道："所以现在正是我们的机会，我正好赶到飞鹏堡去，只要孟星魂真的能为你保守秘密，我们成功的机会比以前更大得多。"

她很快接着又道："因为这条路上本来就算有埋伏的人，现在也必定被孟星魂引开，只要我能和虎组的兄弟联络上，能将这一注保留下来，我们就有翻本的把握！"

她说得很快，很扼要，美丽的眼睛更充满了坚决的表情，充满了信心。

老伯忽然长叹了一声，道："你知不知道我在想什么？"

凤凤摇摇头。

老伯将她的手握得更紧，柔声道："我在想，你不但可以做我的妻子，也可以做我的好帮手，我若在十年前就遇见了你，也许就不会发生今天这些事了。"

凤凤嫣然道："你若在十年前遇见我，根本连看都不看我一眼。"

老伯道："谁说的？"

凤凤笑道："我说的，因为那时我只不过是个黄毛丫头。"

她拉起老伯的手，轻轻放在自己的小脸上，耳语般低语道："但现在我却快做母亲了……等我们的孩子生出来后，我一定要让他知道，他的父母为了他，曾经多么艰苦地奋斗过。"

她声音更低，更温柔，又道："若不是为了他，我现在怎么舍得离开你，怎么舍得走！"

老伯的手在轻抚，目中忽然露出了凄凉之意，缓缓道："我实在也舍不得让你走。"

凤凤垂下头，黯然道："只可惜我非走不可，为了我们的将来，为了我们的孩子，无论多么大的痛苦，我都能忍受，你也应该忍受。"

老伯的确能忍受。

他所忍受的痛苦远比任何人想象中都多得多。

他看着凤凤消失在池水中。

池水碧绿。

最后漂浮在水面上的，是她的头发，漆黑的头发在绿水上散开，看来就像是一朵泼墨莲花。

然后水面上就只剩下一团团温柔美丽的涟漪，温柔得正如她的眼波——

老伯目中又露出了空虚凄凉之色，仿佛又觉得忽然失去了什么。

为什么老人总对得失看得比较重些？

是不是因为他们自知再能得到的机会已不多？

最后，涟漪也消失。

水平如镜，就像是什么都没有发生过。

然后老伯就慢慢地转过头，去看屋角上那通风的铁管，仿佛在等待着这铁管传给他某种神秘的消息。

他究竟在等什么?

夜。

孟星魂贴在井壁上，就像是只壁虎——你若仔细观察过一只壁虎在等着蚊蝇飞过时的神情，才能想象到他现在的样子。

风从井口吹过，带着尖锐的呼啸声。

井壁上长满了厚而滑腻的青苔，令人几乎忍不住想呕吐。

他没有呕吐，因为他在等。只要他想等下去，无论什么都可以忍受的。

因为他有信心能等得到。

只有对自己有信心的人，才能等到收获!

地面上忽然响起了脚步声。

两个人的脚步声，两个人在喃喃低语!

“那两个小子怎么还没有等到我们就换班溜了?”

“我觉得这地方有点阴森森的，像是有鬼，他们莫要被鬼抓去了才好。”

他在笑，笑的声音却跟哭差不多。

“小王胆子最小，只怕是溜去喝酒壮胆——”

这句话还没有讲完，突然觉得有只冰冷潮湿的手在后面扯住了他的衣领，衣领上的一粒纽子已嵌入他喉头下的肌肉里，勒得他连气都透不过来。

再看他的同伴，一张脸已完全扭曲，正张大了嘴，伸出了舌头，拼命想呼喊，却喊不出。

“是不是律香川派你来的?”

声音也在他们背后，比那只手更冷。

两个人拼命地点头。

“除了你们之外，这里还有没有别的人?”

两个人同时摇头。

然后，两个人的头突然重重地撞在一起。

孟星魂慢慢地放开手，看着他们像两摊泥似的瘫在了地上。

以杀止杀。

杀人只不过是种手段，只要目的正确，就不能算是罪恶！

孟星魂虽然明知这道理，但心情还是很难保持平静。

没有人比他更厌恶杀人，没有人比他更痛恨暴力。

怎奈他已无选择的余地。

他抬起头，没有往地上再看第二眼。

星光已暗淡。

在朦胧的星光下看来，世上好像根本就没有完全丑恶的事。

他拽起两个人的尸身，藏起。

飞鹏堡在北方。

北方有颗大星永恒不变，他找出了这一颗最亮的星。

可是他能不能到得了飞鹏堡呢?

凌晨。

菊花在熹微的晨光下垂着头，似已憔悴。

花也像女人一样，只有在一双充满爱心的手下，才会开得美丽。

孟星魂以最快的速度从老伯的花园外掠过去。

他甚至没有往花园里去看一眼。

现在已是初六的清晨，他剩下的时候，已不多了。

幸好花园里也没有人看见他，此刻还太早，人们的活动还没有开始，但天已经亮了，夜行人的活动该已停止。

无论警戒多严密的地方，现在却正是防守最薄弱的时候，因为夜间巡逻守望的人已经疲倦，该来换班的人却还没有完全清醒。

孟星魂就想把握住这机会冲过去。

他当然可以绕过这里，但这却是最近的一条路，为了争取时间，他只有冒险。

在这种情况下，时间甚至比鲜血还珍贵。

前面的密林中，乳白色的晨雾，正像轻烟般散发开。

他忽然听到一阵比雾更凄迷的箫声。

箫声凄迷惆怅，缠绵入骨，就好像怨妇的低诉，充满了诉不尽的愁苦寂寞。

孟星魂突然停下脚步。

然后他立刻就看到一个人从树林里，从迷雾中，慢慢地走出来。

一个颀长的年轻人，一身雪白的衣服。

箫却是漆黑的，黑得发亮。

迷雾轻烟般自他脚底散开，他的人在雾里，心也似在雾里。

他本身就仿佛雾的精灵。

孟星魂停下来，凝视着他，目中带着几分惊讶，却又似带着几分欣喜。

因为这人是他的朋友，手足般的朋友。

他虽然已有很久没有看见他，但昔日的感情却常在心底。

那种同患难、共饥寒，在严冬蜷伏在一堆稻草里，互相取暖的感情，本就是任何人都难以忘怀的。

“石群，石群……”

每当他想起这名字，心里就会觉得很温暖。

有一段时间，他对石群的感情甚至比对叶翔更深厚。

因为叶翔是他们的大哥，永远都比他们坚强能干，永远都在照顾着他们。

但石群却是个很敏感、很脆弱的人。许多年艰苦的生活，许多次危险的磨炼，虽已使他的外表变得和叶翔同样坚强冷酷，但他的本质却还是没有变。

看到春逝花残、燕去楼空，他也会惆怅叹息，终日不欢。

他热爱优美的音乐，远胜于他之喜爱精妙的武功。

是以孟星魂始终认为他应该做一个诗人，绝不该做一个杀人的刺客。

凄迷的箫声忽然转为清越，在最高亢处戛然而止，留下了令人低回的无穷韵致。

石群这时才抬起头，看着孟星魂。

他的眼睛看来还是那么萧索，那么忧郁。

经过三年的远征后，他心情非但没有开朗，忧郁反而更深。

孟星魂终于笑了笑，道：“你回来了？”

石群点点头。

孟星魂道：“滇边的情况如何？”

石群道："还好。"

他也不是个喜欢说话的人。

自艰苦折磨中长大的孩子，通常都不愿用言语来表达自己的感情。

孟星魂道："去了很久？"

石群道："很久……两年多。"

他嘴角露出一丝自嘲的笑意，慢慢地接着道："两年多，七条命，一道创口。"

孟星魂道："你受了伤？"

石群道："伤已好了。"

孟星魂笑了，微笑着道："这两年来，你好像并没有变？"

石群道："我没有变，可是你呢？"

孟星魂沉默了很久，才长长叹息了一声，道："我变了很多。"

石群道："听说你有了妻子。"

孟星魂道："是的。"

提起小蝶，他目中就忍不住流露温柔欣喜之色，接着道："她是个很好很好的好女人，我希望你以后有机会能见到她。"

石群道："我好像应该恭喜你。"

孟星魂微笑道："你的确应该为我欢喜。"

石群凝视着他，瞳孔似在收缩，突然说道："可是，一个人就算有了恩爱的妻子，也不该忘记了朋友。"

孟星魂的笑意已凝结，过了很久，才缓缓道："你是不是听人说了很多话？"

石群道："所以我现在想来听听你的！"

孟星魂抬起头，天色阴暝，太阳还未升起。

他望着阴暝的穹苍，痴痴地出神了很久，黯然道："你知道，我跟你一样，也不是一个适于杀人的人。"

石群用力咬着牙，道："没有人是天生就喜欢杀人的。"

孟星魂道："所以你应该明白我，我并不是忘记了朋友，只不过想脱离这种生活。"

石群没有开口，颊上的肌肉却已因牙龈紧咬而痉挛收缩。

孟星魂道："这种生活实在太可怕，我若再活下去，一定也会发疯。"

石群道："是不是就像叶翔一样？"

孟星魂点点头，惨然道："就像叶翔一样！"

石群道："他本也该及早脱离这种生活的！"

孟星魂道："不错。"

石群道："可是他并没有这样做，难道他不懂？难道他喜欢发疯？"

没有人愿意发疯。

石群的目光忽然变得冷锐，凝视着孟星魂道："他没有像你这样，只因为他懂得一样你不懂的道理。"

孟星魂道："什么道理？"

石群道："他懂得一个人并不是完全为自己活着的，也懂得一个人若受了别人的恩情，无论如何都应该报答，否则他根本就不是人。"

孟星魂只笑了笑，笑得很苦涩。

石群道："你在笑？你认为我的话说错了？"

孟星魂又长长叹息了一声，道："你没有错，但我也没有错。"

石群道："哦？"

孟星魂道："人活在世上，有时固然难免要勉强自己去做些自己不愿意做的事，但也得看那件事是否值得，是否正确。"

他知道石群也许还不太能了解这些话的意义，因为在石群的思想中，根本就没有这种思想。

他们受的教育，并没有告诉他，什么事是正确的，什么事是不正确的。

他只知道什么是恩，什么是仇，只知道恩仇都是欠不得的。

这就是高老大的教育。

石群沉默着，仿佛也在思索着这些话的意义，过了很久，才缓缓道："你有你的看法，我也有我的看法，现在我只想问你一句话。"

孟星魂道："你问。"

石群紧握着他的箫，手背上已有青筋凸起，沉声道："我还是不是你的朋友？"

孟星魂道："世上只有一样事是永远不会改变的，那就是真正的朋友。"

石群道："那么我们还是朋友？"

孟星魂道："当然。"

石群道："好，你跟我走。"

孟星魂道："去哪里？"

石群道："去看高老大。她现在很想见你，她一直很想念你。"

孟星魂道："现在就去？"

石群道："现在……"

孟星魂目中露出痛苦之色，道："我若是不去，你是不是会逼我去？"

石群道："会，因为你没有不去的理由。"

孟星魂道："现在我若是有件很重要的事情要去做呢？"

石群道："没有比这件事更重要。"

孟星魂道："高老大可以等，这件事，却不能等。"

石群道："高老大也不能等。"

孟星魂道："为什么？"

石群道："她病了，病得很重。"

孟星魂悚然动容。

在这一瞬间，他几乎想放开一切，跟着石群走了。

但他还是放不下老伯。

老伯已将一切都寄托在他身上，他不忍令老伯失望。

可是他也同样不忍令高老大失望。

阴暝的穹苍，已有阳光露出，他的脸色更沉重，目中的痛苦之色也更深。

石群逼视着他，一字字道："还有件事我要告诉你！"

孟星魂道："你说。"

石群道："这次我来找你，已下了决心，绝不一个人回去。"

孟星魂慢慢地点了点头，凄然道："我一向很了解你！"

他的确了解石群，没有人比他了解更深。

石群是个情感很脆弱的人，但性格却坚强如钢，只要一下定决心就永无更改。

他了解石群，因为他自己也同样是这种人。

石群道："你若是愿意，我们就一起回去，否则……"

孟星魂道："否则怎么样？"

石群的眼角在跳动，一字字道："否则若不是我死在这里，就是你死在这里，无论你是死是活，我都要带你回去。"

孟星魂的手也握紧，道："没有别的选择？"

石群道："没有。"

孟星魂长长叹息，黯然道："你知道我绝不忍杀你。"

石群道："我却能忍心杀你，所以你最好不要逼我。"

他垂下头，望着手里的箫，缓缓道："我武功本不如你，可是这两年来，情况也许已有了变化。"

孟星魂道："哦！"

石群道："一个时时刻刻都在别人刀锋下的人，总比睡在自己妻子怀里的人学得快些，学到的当然也比较多些。"

他已用不着说明学的是什么，因为孟星魂应该知道是什么。

学怎么样杀人，同时也学怎样才能不被人杀。

孟星魂勉强笑了笑，道："我看得出你箫管里已装了暗器。"

石群道："那是我故意要你看出来的，但你能看出装的是哪种暗器么？"

孟星魂道："不能。"

石群淡淡道："滇边一带，不但是点苍派武功的发源地，也是江湖中一些逃亡者的隐藏处，那些奇能异士，远比你想象中为多。"

孟星魂道："所以，你学会的，远比我想象中的多？"

石群道："不错。"

孟星魂长长叹息了一声，慢慢地走过去，道："好，我跟你……"

他走出了几步，身子突然往前一冲，手已闪电般扣住了石群的腕子。

"当"地，箫落地。

是铁箫。石群的脸突然变得惨白。

孟星魂看着他，悠悠道："我知道你学会了很多，但我也知道你绝没有学会这一招。”

石群脸上僵硬的肌肉已渐渐放松，变得一点表情也没有。

孟星魂道：“这一招你永远也学不会的，因为你不是这种人，你并没有真的在准备对付我。”

石群淡淡道：“所以现在你无论用什么法子对付我，我都不怪你。”

孟星魂道：“我没有法子。”

石群道：“那么你可以走了。”

孟星魂道：“我当然要走——”

他看着石群，冷漠的目光已充满了温暖，友情的温暖。

他微笑着松开手，拍了拍石群的肩，接着道：“我当然要走，但却是跟着你走，跟着你回去。”

石群看着他，目中似也有了一丝温暖的笑意，忽然道：“你知道我为什么没有防备你？”

孟星魂道：“为什么？”

石群笑了笑道：“因为我早已知道你会跟我回去的。”

孟星魂也笑了。

在这么样两个人的脸上，居然会出现如此温暖的微笑。

这简直就像是奇迹。

除了友情外，世上还有什么事能造成这种奇迹？

没有，绝没有。

世上唯一无刺的玫瑰，就是友情。

阳光已升起，菊花却更憔悴。

花园里根本没有人。

孟星魂从这里望过去的时候，没有被人发现，并不是因为他选择的时间正确，更不是因为侥幸。

天下本没有侥幸的事！

石群道：“我来的时候，这里就是空着的。”

孟星魂道：“你来了多久？”

石群道：“不久。”

他忽然轻轻叹息了一声，道：“我若早些来，这些花也许就不会谢了。”

孟星魂道：“你跟高老大一起来的？”

石群道：“我一回去，她就要我陪她来。”

孟星魂道：“她来干什么？”

石群道：“来等你。”

孟星魂道：“等我？”

石群道：“她说你就算不在这里，迟早也一定会来的。”

孟星魂没有再说什么，但脸上的表情却好像变得很奇怪。

石群看着他脸上的表情道：“你在想什么？”

孟星魂点点头，笑得也很奇怪，道：“我在问自己，若不是你找我，我是不是会来呢？”

屋子里暗得很，紫红色的窗帘低垂。

她留在屋里的时候，从不愿屋里有光。

窗下有张宽大而舒服的藤椅，本来是摆在老伯的密室中的！

老伯喜欢坐在这张藤椅上，接见他的朋友和属下，听他们的意见和消息，然后再下决定。

有很多已改变了无数人命运的大事，都是老伯坐在这张藤椅上决定的。

此刻坐在这藤椅上的却是高老大。

她的确显得很衰弱，很憔悴。

屋子里虽然暗，孟星魂却还是能看得出来，他从未看过高老大这样子。

看见他进来，高老大的眸子里才有了光，展颜道：“我早就知道你一定会来。”

孟星魂脸上又露出了那种笑，淡淡道：“你真的知道？”

高老大道：“我虽没有十分把握，但除此之外，我还有什么法子找到你？还能在什么地方等你？”

她还在笑着，既没有叹息，也没有埋怨，但言辞中却充满了一种比叹息更忧伤、比埋怨更能打动人心的感情。

孟星魂心里忽然觉得一阵酸楚。

“她的确已渐渐老了，而且的确很寂寞。”

寂寞本已很可怕。

所有寂寞中最可怕的一种，就正是一个女人垂老时候的寂寞。

孟星魂走过去，看着她，柔声道：“无论你在哪里，只要我知道，都一定会去看你。”

高老大道：“真的？”

她并没有等孟星魂回答，已紧紧握住他的手，道：“搬张凳子过来，我要他坐在我旁边。”

这话虽然是对石群说的，但她的眼波却始终没有离开过孟星魂。

她的手冰冷而潮湿。

孟星魂道：“你……真的病了。”

高老大笑得凄凉而温柔，柔声道：“其实这也不能算是什么病，只要知道你们都很好，我这病也很快就会好。”

孟星魂道：“我很好。”

高老大缓缓道：“可是，你看来却好像比我更疲倦。”

孟星魂笑了笑，道：“我虽然有点累，但身体却从未比现在更好过。”

高老大也笑了笑，眨着眼道：“看你这么得意，是不是已经找到老伯？”

孟星魂脸上的笑容忽然消失。

高老大道：“是不是？”

孟星魂已开始感觉到，自己脸上的肌肉在渐渐僵硬。

高老大的笑容也变了，变得很勉强，道：“你为什么不说话？”

孟星魂咬紧了牙，过了很久，才一字字道：“因为我不愿在你面前说谎。”

高老大道：“你不必说谎。”

孟星魂道：“你若一定要问下去，我只有说谎了。”

高老大忽又笑了，微笑着道：“这么样说来，你一定已找到他。”

孟星魂沉默了很久，突然站起来，声音已嘶哑，缓缓道：“过两天我还会来看你，一定会再来。”

高老大道：“现在你难道要走？”

孟星魂点点头道："因为我不敢再坐下去。"

高老大道："你怕什么？"

孟星魂嘴角已抽紧，一字字道："怕我会说出老伯的消息。"

高老大道："在我面前，你也不说？你不信任我？"

孟星魂什么都不再说，慢慢地转身走了出去。

石群并没有阻拦他，高老大没有抓住他。

但就在这时，那低垂的紫红窗帘突然"唰"地被拉开。

孟星魂回过头，就看见了律香川。

你无论在什么时候，无论在什么地方看见律香川，他看来总是那么斯文亲切、彬彬有礼。

他身上穿的衣服总是干干净净，连一点皱纹都没有，脸上的笑容总是令人愉快的！

他还在看着孟星魂微笑。

孟星魂却已笑不出来。

律香川微笑着道："我们好像已有一年多没见了，你还记不记得半夜厨房里的蛋炒饭？"

孟星魂道："我忘不了。"

律香川道："那么我们还是朋友？"

孟星魂道："不是！"

律香川道："一日为友，终生为友，这话你没听过？"

孟星魂道："这句话你应该说给老伯听。"

律香川又笑了，道："我很想去说给他听，只可惜不知道他在哪里。"

孟星魂道："你永远不会知道的！"

律香川悠然道："莫忘了世上本没有绝对的事，任何事都可能改变的，随时都会改变。"

孟星魂道："只有一件事永不会变。"

律香川道："哪件事？"

孟星魂冷冷道："我们绝不是朋友。"

律香川道："你不信任我？"

孟星魂道："哼！"

律香川道："但有件事你一定要信任我！"

他不等孟星魂说话，微笑着又道："你一定要相信，我随时都能要她的命！"

孟星魂的脸色变了。

律香川无论说什么，他也许连一个字都不会相信。

但这件事他却不能不信。

高老大坐的地方距离律香川还不及三尺，无论谁坐在那里，都绝不可能离开律香川的暗器。

你可以怀疑律香川的别样事，但却绝不能怀疑他的暗器。

高老大额上也似有了冷汗。

孟星魂回过头，石群还站在门口，一直都没有动，但脸色却也变成惨白，紧握着铁箫的手背上，也已暴出了青筋。

律香川悠悠然笑道："我知道你绝不愿看着高老大死的。"

孟星魂手心虽已流满冷汗，但嘴里却干得出奇。

律香川道："你若想她活下去，最好还是赶快说出老伯的消息。"

孟星魂嗄声道："你相信我的话？"

律香川微笑道："你天生就不是说谎的人，这点我早已了解。"

孟星魂厉声道："好，那么我告诉你，你永远休想从我嘴里得到老伯的消息，休想听到一个字！"

律香川的笑容突然凝结。

高老大和石群的脸色也已变了。

他们都知道，孟星魂说的话也是永无更改的！

过了很久，律香川才冷冷道："莫非你已忘了你是怎么能活到现在的？"

孟星魂咬紧牙关，道："我没有忘记，绝不会忘。"

律香川道："你宁可看着她死，也不愿说出老伯的消息？"

孟星魂厉声道："我可以为她死，随时都可以，但却绝不会为任何人出卖朋友。"

律香川冷笑道："老伯是你的朋友？他何时变成你朋友的？"

孟星魂道："从他完全信任我的那刻开始。"

他瞪着律香川，目中似已有火在燃烧，一字字道：“还有件事你最好也记住，你若能真的杀了高老大，我无论死活，都一定要你的命！”

律香川忽然长长叹了口气，道：“我相信，你说的每句话我都相信。”

孟星魂道：“你最好相信。”

律香川淡淡道：“但若为了她呢？为了她，你总可以出卖朋友吧？”

孟星魂变色道：“她？她是谁？”

他心里忽然有种不祥的预感，已隐约猜出律香川说的是谁。

律香川悠然道：“你想不想看看她？”

角落里忽然有扇门开了。

孟星魂看过去，全身立刻冰冷，冷得连血液都已凝结。

一个人站在门后，正痴痴地看着他！

两柄雪亮的钢刀，架在她脖子上。

小蝶。

正是小蝶。

小蝶痴痴地看着他，目中已有一连串晶莹的泪珠落下。

可是她没有说话。

江湖中人只知道律香川的暗器可怕，却不知他点穴的手段也同样可怕。

暗器高手通常也必定是点穴高手，因为那本是同一类的功夫。

同样靠手的动作灵巧，同样要准，要狠！

但无论点穴的手段多高，也还是无法控制住人的眼泪。

他可以令人不能动，不能说话，但却无法令人不流泪。

没有人能禁止别人流泪。

看到小蝶的眼泪，孟星魂的心似已被撕裂。

他真想不顾一切冲出去，不顾一切将她紧紧拥抱。

可是他不敢。

“你只要动一动，那两柄刀立刻会割断她的脖子！”

这句话律香川并没有说出来，他根本不必说。

孟星魂当然应该明白。

律香川只不过淡淡地问了句：“为了她，是不是值得出卖朋友？”

孟星魂没有说话，也没有动，但却可以感觉到全身的肌肉都在颤抖。

他忽然想起了韩棠钓钩上的那条鱼。

现在他自己就像是那条鱼，所有的挣扎都已无用，已完全绝望。

律香川的钓钩已钩在他咽喉里。

没有人能救他，也没有人会救他。

律香川悠然道：“我并不是个急性子的人，所以我还可等一下，只希望你莫要让我等太久。”

他当然不必着急。

鱼已在他的钓钩上，急的是鱼，不是他。

但再等下去可能怎么样呢？

无论等多久，结果绝不会改变的！

孟星魂全身的衣裳都已被冷汗湿透！

高老大忽然轻轻叹了口气，道：“我看你还是赶快说出来吧，我若是男人，为了孙姑娘这样的女孩子，我什么事都肯做。”

孟星魂心里又是一阵刺痛，就好像有把刀笔直刺了进去。

直到现在，他才完全明白。

原来高老大和律香川早已勾结在一起，这全都是他们早已计划好的阴谋。

真正扼住他咽喉的人，并不是律香川，而是高老大。

奇怪的是，他并不觉得愤怒，只觉得悲哀，也同样为高老大悲哀。

但石群呢？

石群是不是也早已参与了这阴谋？

他忽又想到了石群手里的那管箫和箫管里的暗器。

假如他能拿到那管箫，说不定还有一线反击机会，在这种情况下，没有任何武器比暗器更有效。

人在接近绝望时，无论多么少的机会，都绝不肯放弃的！

他眼睛看着小蝶，步步往后退。

律香川微笑道：“你难道想走，只要你忍心留下她在这里，我就让你走。”

孟星魂突然回手，闪电般出手去抄石群手里的那管箫。

他本已算准了石群站着的位置，算得很准。

谁知道他还是抄了个空。

石群已不在那里，根本已不在这屋子里。

谁也没有注意他是什么时候走了！

“若非他参与了这阴谋，律香川和高老大怎会对他如此疏忽？”

孟星魂心上又插入了一把刀。

只有被朋友出卖过的人，才能了解这种事多么令人痛苦。

律香川冷冷道：“我已等了很久，你难道还要我再等下去？无论脾气多好的人，都有生气的时候，你难道一定要我生气？”

孟星魂暗中叹口气，他知道今天自己已难免要死在这里。

死也有很多种。

他只希望能死得光荣些，壮烈点。

问题是他能不能在律香川的暗器打在他身上之前，先冲过去呢？

他至少总得试一试，也已决心要试一试。

阳光已照入窗子，虽然带来了光明，却没有带来希望。

他尽量将自己放松，然后再抬起头，凝视着小蝶。

这也许已是他最后一次看到她！

小蝶的目光中，也充满了哀求——求他快走。

他懂。可是他不能这么样做。

“要死，我们也得死在一起。”

他的意思小蝶也懂。

她眼泪又开始流下，她的心已碎了。

就在这时，架在她脖子上的两柄钢刀突然飞起，落下。

刀飞起时，门后已发出了两声惨呼，两个人扑面倒了下来。

接着，一只手自门后伸出，拦腰抱起小蝶。

一人低喝道：“快退，退出去！”

这是石群的声音。

孟星魂的身子一缩，已退出门外，用脚尖钩起了门，人已冲天而起。

只听“笃、笃、笃……”一连急响，十几点寒星已暴雨般打在门上。

孟星魂掠上屋脊，立刻就看到刀光一闪。

三柄快刀。

刀光闪电般地劈下，一柄砍他的足，一柄以“玉带横腰”削他的腰，似乎一刀就想将他劈成两截。

孟星魂身子一斜，贴着刀光斜斜地冲了过去，甚至已可感到这柄刀划破了他的衣服。

但他的手却已捏住这个人的腕子，向上一抬。

“叮”地，火光四溅。

这柄刀已架住了当头劈下的那柄刀。

接着就是一片屋瓦碎裂的声音，第三柄刀已被他一脚踩住。

几乎就在这同一刹那间，挥刀的人也已被他踢得飞了出去。

他顺势一个肘拳，打在第二人肋骨上，肋骨几乎已在这人胸膛里。

还有一人已看得魂飞魄散，掉头就往屋子下面跳。他身子刚跃起，一柄刀已自背后飞来，刀尖自背后刺入，前胸穿出，鲜血花雨般飞溅而出。

他的人就这样倒在自己的血泊里。

孟星魂一刀掷出，连看都没有再看一眼，人已再次掠起。

石群正在花丛间向他招手，雪白的衣服也已被鲜血染红了一片。

孟星魂凌空一个翻身，头上脚下，飞燕投林，箭一般向那边射了过去！

他掠起时已看到小蝶。

小蝶的穴道已被解开，正在花丛间喘息着，看到孟星魂扑过来，立刻张开了双臂，目光又是悲痛，又是恐惧，又是欢喜。

孟星魂的整个人都几乎压在她身上。他等不及换气就已冲下去，用尽全身力气抱住了她。

他们立刻忘记了一切。

只要两个人能紧紧拥在一起，别的事他们根本不在乎。

但石群在乎，也没忘记他们还未脱离险境。

也不知为了什么，律香川居然还没有追出来。

这个人做事的方法，总是令人想不到的，但无论他用的是哪种方法，都一定同样可怕。

石群拉起了孟星魂，沉声道：“走，有人追来我会挡住。”

孟星魂点点头，用力握了握这只手。

他没有说话，因为他心里的感激已绝非任何言辞所能表达得出！

然后他转过头，想选条路冲出去！

没有一条路是安全的。

谁也不知道这连一个人影都看不到的花园里，究竟有多少可怕的埋伏。

孟星魂咬咬牙，决定从正门冲出去。

他刚拉起小蝶冷冷的手，就看到一个人从这条路上奔过来。

一个穿着男人衣服的女人，亮而乌黑的头发乌丝般在风中飞舞。

他已看出了这女人是谁。

凤凤！

凤凤已经奔过石径，向花丛后的屋子奔过去。

她好像也已看到孟星魂，所以跑得更快——她的功夫本在两条腿上。

小蝶看着孟星魂脸上的表情，忍不住问道：“你认识她？”

孟星魂点点头，忽然咬咬牙，将小蝶推向石群，道：“你跟他走，他照顾你。”

小蝶惨然失色，颤声道：“你呢？”

孟星魂道：“三天后我再去找你！”

石群道：“到哪里找？”

孟星魂道：“老地方。”

这句话未说完，他的人已掠起，用最快的速度向凤凤扑了过去。

他绝不能让这女人活着，绝不能让她泄露老伯的秘密。

屋子的门已被暗器击开，暗器已完全嵌入坚实的木头里。

律香川的暗器不但准且狠，力量也足以穿透最怕冷的人在冬天穿的衣服。

第三十章

邪神门徒

现在凤凤距离这门至少还有两三丈。

她腿上的功夫虽不弱，但从马家村到这里来的一段路也并不近。

何况男人的衣服穿在女人身上，总难免会有点拖拖拉拉的。

孟星魂算准自己一定可以在她到达那门之前，先赶过去。

他算错了。

因为他算的只是自己这一份力量，却忘了估计别的。

他掠过花丛，脚尖点地，再掠起。

就在这时，脚下的土地忽然裂开，露出个洞穴。

四个人并排躺在那里，手里的匣弩同时向上抬，弩箭就暴雨般向孟星魂射了过去。

孟星魂也不知道避过多少次比这些箭更狠毒、更意外的暗器。

他闪避暗器的动作快，而且准。

但这次避暗器的动作却不够快。

因为他的全心全意都已放在凤凤身上。

他身子掠过最后一排菊花时，淡黄的菊花上就多了串鲜红的血珠。一枚短箭正射在他左腿上。箭已完全没入肉里。他甚至已可感觉到尖锐的箭在摩擦着他的骨骼。

可是他并没有停下来。

他不能停。

现在正是决生死的一刹那，只要他停，就不知道有多少人要因此而死！

凤凤的黑发就在他前面飞舞着。但在他眼中看来，却仿佛忽然变得很遥远。

腿上刺着的痛苦，不但影响了他的判断力，也影响了他的速度。

痛苦也正如其他许多事一样，有它完全相反的两面——有时它能令人极端清醒，有时它却能令人晕眩。

孟星魂只觉得这刺痛似已突然传入骨髓，全身的肌肉立刻失去控制。

他知道自己再也无法支持，但他却还是用出最后一分力量，向她扑过去，中指指节凸起，挥拳直击她腰下气血海穴。

这是致命的死穴，一击就足以致命。

他挥拳击出后，痛苦已刺入脑海，像尖针般刺了进去。

接着，就是一阵绝望的麻痹。

在这一瞬间，他还能感觉到自己凸起的指节，触及了一个温暖的肉体。

他想将全身力量都集中在这一节手指上，但这时他已晕了过去。

满天星光如梦，微风轻拂着海水。

他们手牵着手，漫步在星空下的海岸上，远处隐隐有渔歌传来，凄婉而悦耳。

他将她拉到身边，轻吻着她被风吹乱的发丝，她眼中的情思深远如海……

孟星魂忽然张开眼，所有的美梦立刻破灭了。

没有星光，没有海，也没有他在梦中都无法忘记的人！

他是伏在刚才倒下去的地方，腿上痛楚反似比刚才更剧烈。

“我并没有死。”

这是他想到的第一件事。

可是这件事并不重要。重要的是，凤凤是否还活着？

他绝不能让她活着说出老伯的秘密。

有人在笑。

孟星魂挣扎着抬起头，就看到律香川的眼睛。

律香川的眼睛发着光，但笑的并不是他！

笑的是凤凤。

她笑得好开心，好得意。

孟星魂全身突然僵硬，就好像突然被满池寒冰冻住，连痛苦都已麻痹。

凤凤走过来，看着他，连目中都充满了笑意。无论谁都不能不承认她是个非常美的女孩子。

有毒的罂粟岂非也很美丽？

孟星魂舔了舔干燥的嘴唇，哑声道："你……你说出来了？"

凤凤笑声中带种可怕的讥诮之意，显然觉得他这句话问得实在多余！

她笑得就像刚从粪坑出来的母狗，吃吃地笑着道："我当然说出来了，你以为我是来干什么的？小媳妇回门来替女婿说好话么？"

孟星魂看着她，只觉得全身都已软瘫，连愤怒的力气都已消失。

凤凤道："你想不到会在这里见着我，是不是？你想不到那老头子会让我走的，是不是？"

她大笑，又道："好，我告诉你，我虽没别的本事，但从十三岁的时候，就已学会怎么去骗老头子了，干我们这行的若吃不住老头子，还能够吃谁？"

孟星魂在看着，听着。

凤凤媚笑道："其实你也不能怪我，我还年轻，总不能将终身交托给那个老头子，他不但快要死了，而且死了后连一文都不会留下给我。"

孟星魂突然转向律香川。

他神情忽然变得出奇的平静，缓缓道："你过来。"

律香川道："你有话对我说？"

孟星魂道："你听不听？"

律香川笑了笑，道："有些人说的话，总是值得听的，你就是那种人。"

他果然走了过来，但目中的警戒之色却并未消除。

虎豹就算已经落入陷阱，还一样可以伤人的。

律香川走到七尺外就停下，道："现在无论你说什么，我都可以听得清楚了。"

孟星魂道："我想问你要一样东西。"

律香川道："要什么？"

孟星魂道："这女人，我要你把她交给我。"

律香川又笑了，道："你看上了她？"

孟星魂道："我想要她的命。"

律香川没有笑，凤凤却笑了。

她好像突然听到了天下最滑稽的事，笑得弯下了腰，指着孟星魂笑道："我本来以为他这人还不太笨，谁知道他却是个呆子，而且还有疯病。"

她又指着律香川，道："他怎么会把我交给你呢？你凭什么要我的命？你以为自己是什么人？"

律香川等她说完了、笑完了，突然一把揪住她的头发，将她拉到孟星魂面前，淡淡道："你要的是不是这个女人？"

孟星魂道："是。"

律香川慢慢地点了点头，目光移向凤凤的脸。

凤凤目中露出恐惧之色，勉强笑道："你当然不会把我交给他的，是不是？我为你做了那么多事，又为你找出了那姓孙的……"

律香川脸上全无表情，冷哼道："但这些事你全都已做完了，是不是？"

凤凤脸色已发白，颤声道："以后我还可以为你做别的事，无论要我做什么，我都愿意。"

律香川伸手轻抚她的脸，手掌慢慢地滑下，突然一把撕开了她的衣襟。

她完美的胴体立刻暴露在日光下。

律香川却连看都没有看一眼。

他已经在看着孟星魂，微笑道："我知道你见过很多女人。"

孟星魂道："我见过。"

律香川道："你看这女人怎么样？"

孟星魂道："还不错。"

律香川道："我为什么要平白将这么样一个女人交给你，我自己难道不能享用她？"

孟星魂道："你能，但你也有不能做的事。"

律香川道："哦？"

孟星魂道："现在你已知道老伯在哪里？"

律香川道："女人总比较细心些，她已说得够清楚。"

孟星魂道："我知道你一定能找到老伯，但你是不是能到那井底的密室中去？"

律香川道："不能……现在还不能。"

没有必要时，他从不说谎——所以他说的谎才特别有效。

孟星魂道："现在有谁能去割他的首级呢？"

律香川道："没有人。"

他忽又笑了笑，道："但我可以将那口井封死，将他闷死在井底。"

孟星魂道："你能等那么久？"

律香川沉吟着，道："也许能……我耐性一向不错。"

孟星魂道："你怎知他一定会被闷死？"

律香川凝视着他，过了很久，才一字一字道："你是说，你可以到井底去为我杀他？"

孟星魂闭上眼睛，缓缓道："只要你将这女人交给我，我就替你去杀他！"

他闭上眼睛，热泪已夺眶而出。

没有人能想象他此刻心情之恐惧痛苦，没有人能想到他会这么做。

可是他不能不这么做。

律香川眼睛里已发出了光，盯着他，道："我又怎知你说的话是否算数？"

凤凤一直在旁边听着，身子已开始发抖，突然嘶声道："不要听他的话！他绝不会杀老伯，这一定又是他的诡计。"

律香川突然反手一巴掌掴在她脸上。

她苍白的脸立刻红肿，鲜血沿着嘴角淌落，被打落的牙齿却已吞下肚里。

她全身痉挛，已无法控制自己咽喉的肌肉。

孟星魂也连看都没有看她一眼，冷冷道："我说的话，从没有人怀疑过。"

律香川道："你为什么要做这件事？"

孟星魂道："因为我非做不可！"

律香川道："没有人逼你去杀他，也没有人能逼你去杀他！"

孟星魂咬紧牙关，道："他既是非死不可，谁杀他岂非都一样？"

律香川道："与其让别人去杀他，倒不如由你去杀他；与其慢慢地死，倒不如死得快些，因为等死比死更痛苦。"

孟星魂道："不错。"

律香川忽然长长吐出口气，道："我现在总算已明白你的意思了。"

孟星魂道："只明白没有用。"

律香川微笑道："你以为我会不答应？"

凤凤还在抹着嘴角的血，身子突然跃起，飞起两腿踢向律香川的胸膛。

律香川连眼角都没有看她，但手掌已切在她足踝上。

她立刻就凭空跌在地上，完美和纤秀的足踝已弯曲，就像一个恶作剧的孩子扭断了玩偶的脚。

律香川还是没有看她，淡淡道："她已经完全是你的，你若没有特别的法子对付她，我倒可以给你几个很好的建议。"

凤凤看着自己弯曲折断的足踝，泪流满面，咬着牙道："你这个畜生，你不是人，不得好死的，我以前怎么把你当作人！"

孟星魂已挣扎着站起，冷冷地看着她，等她骂完，才冷冷道："你只后悔认错了他？你自己做的事呢？"

凤凤哽声道："我做了什么……我有什么好后悔的？"

孟星魂道："你没有？"

凤凤流着泪道："我是个女人，每个女人都有权选择自己喜欢的男人，我为什么没有？你凭什么一定要我将终身交给那半死的老头子？"

她瞪着孟星魂，大声道："若有人要你一生去陪个半死的老太婆，你会怎么样？"

孟星魂的眼角又开始跳动，但目中的仇恨与杀气却已少了。

凤凤挣扎着爬起，又跌倒，嘶声道："你说，我做错了什么？你若是个人，就应该为我说句公道话。"

孟星魂握紧双拳，道："这件事一开始你就不该做的！"

凤凤道："你以为我喜欢做，喜欢陪一个可以做我祖父的老头子睡觉？"

孟星魂道："你为什么要做？"

凤凤道："我有什么法子？十岁的时候我就已经卖给高老大，她就算要我去陪条狗睡觉，我也没法子反抗的。”

孟星魂道：“可是你……”

凤凤大声打断了他的话，道：“你难道没有为高老大杀过人？你难道没有为她做过违背自己良心的事？不错，我是个不要脸的女人，可是你呢？你又能比我强过多少？”

她突然伏倒在地上，失声痛哭，道：“爹，娘——你们为什么要生下我，为什么要把我送落火坑，我也是十月怀胎出来的，为什么要比别人苦命？”

孟星魂脸色苍白，目中已露出痛苦之色。

他忽然觉得她说的话并不是完全没有道理。

她也是人，也有权活着，有权选择自己所爱的人，跟这人度过一生，生自己的孩子，再将他们养育成人。

这本是人的基本权利。

没有人能剥夺她这种权利。

她虽然出卖了老伯，可是她自己的一生，岂非也已同样被人出卖。

孟星魂忽然发觉她也有值得同情的一面。

她欺骗别人，只不过是为了保护自己，只不过是为了要活下去。

一个人若是为了保护自己的生命，无论做什么事，都应该是可以原谅的。

你绝不能只看她可恨可恶的一面——只可惜世人偏偏只懂得看到人可恶的那一面，却将自己可恶的一面隐藏起来。

人们若懂得像宽恕自己一样去宽恕别人，这世界一定比现在可爱得多。

凤凤的痛哭已渐渐变为抽泣，然后慢慢地拾起鞋，凝视着孟星魂，嗄声道：“你不是要杀我？现在为什么还不动手？”

孟星魂的脸也因痛苦而扭曲。

他本来的确一心想杀死这女人为老伯复仇，但现在已无法下手。

因为他忽然发觉自己根本无权杀她。

任何人的生命都是同样可贵的，谁也没有杀死别人的权利。

孟星魂在心里长长叹息了一声，慢慢转过身。

律香川正笑着看他们，仿佛觉得这两个人的情况很有趣。

孟星魂忽然道："我们走吧。"

律香川道："哪里去？"

孟星魂道："老伯那里。"

律香川眨眨眼，道："这女人呢？你不想杀死她了？"

孟星魂咬紧牙关，冷冷道："比她更该杀的人，活着的还有很多。"

律香川忽然笑了，悠然道："高老大说得果然不错。"

孟星魂沉下脸，道："她说了什么？"

律香川道："她早就知道你不忍下手杀这女人的，你自己根本就没法子为自己而杀人，她却可以要你去杀人。"

孟星魂道："哦？"

律香川微笑道："因为你的心肠根本就不够硬，也不够狠，所以你永远只配做一个被人利用的刺客。"

孟星魂只觉得自己的胃在收缩，怒火已燃烧至咽喉。

律香川是在笑着，笑得就像一把刀。

孟星魂咬了咬牙，忽又道："她的人呢？"

律香川道："你想见她？"

他不让孟星魂说话，接着又说道："你见到她，又有什么用？难道你敢反抗她？难道你敢杀了她？你若真的敢，我甚至可以绑住她的手来交给你！"他大笑，又道："但我知道你绝不敢的，因为她是你的恩人，是你的老大，你欠她的情，一辈子也休想还得清的！"

孟星魂站在那里，忽然间已汗流满面。

律香川悠然道："所以我看你还是乖乖地跟我走吧。"

孟星魂茫然道："走？"

律香川道："我已经将这女人交给你了，你杀不杀她，是你的事。"

孟星魂点点头，道："我明白。"

律香川道："所以你对我说的话也得算数。"

孟星魂又点点头。

凤凤忽然挣扎着爬过来，拉住孟星魂的衣角，嘶声道："不要去，千万不要替这畜生做任何事，否则你只有死得更快。"

孟星魂脸上又变得全无表情，淡淡道："我说过的话一定算数。"

凤凤道："他说的都是放屁，你又何必一定要守信？"

孟星魂道："因为我不是他。"

凤凤看着他，目中的神情很奇特，好像很惊讶，又好像很疑惑。

她实在不能相信，世上竟有这样的呆子。

她从未见过。

直到现在，她才真正看到人性中最高贵的一面，才懂得人性的尊严。

律香川忽然招了招手，花丛中立刻就有人飞步而来。

现在律香川的命令已和昔日的老伯同样有效。

律香川冷冷道："将这女人送到飞鹏堡去，我知道屠堡主很需要一个像这样的女人！"

他的属下立刻应声道："是！"

立刻就有两个人过来，从地上拖起了凤凤。

凤凤眼泪又流下，却连挣扎都没有挣扎——一个在火坑中长大的女人，早已逆来顺受。

只要能活着，什么都可以忍受。

孟星魂突然道："等一等。"

律香川道："难道你也想要她？"

他微笑着，又道："那也行，只要你能提着老伯的头颅来送给我，你要什么都行。"

孟星魂沉着脸，道："我只问你，你刚才说的是屠堡主？"

万鹏王想必也像老伯一样，被他们最信任的朋友和最得力的助手出卖了。

律香川当然早已和屠大鹏秘密勾结，这阴谋必已计划了很久，武老刀的事件正是他们等待已久的机会。

他们借着这机会让老伯和万鹏王冲突，几次血战不但使老伯和万鹏王的力量都大为削弱，也使得他们心上的压力一天天加重。

等到这压力变得不能忍受时，他们只有作孤注一掷的火并决斗。

律香川当然早已算准，到了这时老伯就一定会将全部权力交给他。

因为这时老伯已别无可以信任的人。

这也正是他阴谋中最重要的一环，到了这时，他已可将老伯一脚踢开。

这阴谋复杂却完美，简直无懈可击。就连孟星魂都不能不佩服。

律香川凝视着，忽又笑道：“现在你不必再问，想必也已明白我们演的是出什么戏了。”

孟星魂道：“我只有一件事不明白。”

律香川道：“哦！”

孟星魂道：“我在这出戏里演的究竟是个什么样的角色？”

律香川想了想，道：“你本来只是个很小很小的角色。”

孟星魂道：“小角色？”

律香川道：“本来只想利用你加重老伯的压力，利用你使他更信任我，但后来……”

孟星魂道：“后来怎么样？”

律香川叹了口气，道：“想不到后来你却使自己这角色的戏加重了，我几乎已有些后悔，根本就不该让你这角色上场的！”

他的确后悔过，因为他一直低估了这无名的刺客。

孟星魂沉默了很久，忽又问道：“高老大呢？她又是个什么样的角色？”

律香川道：“她是个女人！”

孟星魂道：“你的意思是说……”

律香川道：“我的意思就是说她是个女人，谁也不能改变这件事，她自己也不能。”

孟星魂道：“女人在一出戏里扮的通常都是很重要的角色。”

律香川道：“我这出戏不是。”

他又笑了笑，道：“在我这出戏，只有一个主角，就是我。”

孟星魂道：“这主角的收场呢？”

律香川道：“主角当然是好收场！”

孟星魂道：“你能确定？”

律香川道：“当然能确定，这出戏里每个角色的收场，都只有我才能决定，因为我的角色本就是神，本就决定一切人的生死和命运！”

世上的确有种人总要将自己当作神。

这种人当然是天才，但也是疯子。

疯子的收场通常都很悲惨。

只可惜这出戏现在已接近尾声，每个角色的生死和命运似已都被安排好了，已没有人能改变。

到最后，台上剩下的，也许只有律香川一个人和满台的死尸。

除非有奇迹出现，这结局无法改变。

但奇迹是很少会出现的。

很少，但却不是绝对没有！

第三十一章

绝境绝路

门已被封死。

肥壮的老鼠成群在后院房间出没，有风吹过的地方，总带着种令人作呕的腐臭味。

不过在几天前，这里还是朋友们最羡慕的人家，好客的主人、能干的妻子、活泼却有礼貌的儿女，晚餐桌上有可口的小菜和美酒。

但现在这里却已变成凶宅。

每个人走过这家人门口时，都会远远地避开，掩鼻而过。

没有人知道这里究竟发生了什么事。

没有人知道这一家四口人为什么会在一夜之间同时惨遭横死。

但谣言却很多，各式各样的谣言。

就连昔日最要好的朋友，现在也已变成了谣言的制造者。

你用不着为这一家人不平，更不必为他们难受。

因为这本就是人生。

他们在活着时有朋友，死，也是为朋友而死的！

他们活得很美满、很快乐，死，也死得很有价值。

这就已足够！

后院中的荒草也仿佛是在一夜之间长出来的！

荒草间的石井，在夕阳之下看来，也似久已枯竭。

但井中当然还有水。

深碧色的水，已接近黑色。

律香川俯视着井水，喃喃道："这口井很深，比我们厨房用的那口井还深。"

他忽然回头，向孟星魂笑了笑，道："你知不知打井也是种学问？

你若不懂得方法，永远也休想从地下挖出水来。”

孟星魂听着，只能听着。

他忽然发现律香川常常会在某种很重要的时候，说些奇怪而毫无意义的话。

这是不是因为他心里也很紧张，故意说些话来缓和自己的情绪？

律香川又回头去看井里的水，仿佛在自言自语，道：“我早就应该自己来看看的，我若看见这口井，也许早就猜出老伯在哪里了。”

他忽然又回头问孟星魂，道：“你可知道这是为什么？”

孟星魂的回答很简短：“不知道。”

律香川笑笑，道：“因为我知道只有一个人能挖这样好的井，这人是绝不会无缘无故到这破村子里挖一口井的！”

孟星魂道：“哦。”

律香川道：“他当然也是老伯的朋友，除了老伯外，没有人能叫他到这里来挖井！”

孟星魂道：“这个人呢？”

律香川道：“死了……老伯的朋友好像已全都死了。”

他笑容中带着刀一般的讥诮之意，接着又说道：“但无论如何，能想到在有水的井里藏身的人，毕竟总算是个天才……你知不知道，躲藏也是种学问？”

孟星魂道：“不知道。”

律香川道：“那简直可以说是最高深的学问，你不但要选最正确的地方，还得选择最正确的时刻才躲进去，这两种选择都不容易。”

孟星魂道：“还有一点更重要。”

律香川道：“哦？”

孟星魂道：“你若真的不愿被别人找到，就只能一个人躲进去。”

律香川又笑了，道：“不错，这一点的确重要。更重要的是，只有呆子才会要女人为他保守秘密，这话本是老伯自己说的，我始终不懂，他自己怎么会忽然忘记了。”

孟星魂咬着牙，道：“我也不懂。”

律香川沉吟着，缓缓道：“这是不是因为他已太老？太老的人和太年轻的人，这两种人通常都最容易上女人的当。”

孟星魂道："他不老——有种人只会死，不会老！"

律香川道："不错，我也只情愿死，不愿意老，老比死还可怕。"

他拍拍孟星魂的肩，微笑道："所以你现在不如赶快去要他死吧。"

孟星魂道："你呢？"

律香川道："我当然会在这里等着你，没有亲眼看见老伯的头颅，我无论如何也不安心！"

孟星魂面上全无表情，目光遥视着远方，一字一字道："你会看到的，很快就会看到。"

律香川又拍拍他的肩，微笑道："我信任你，你绝不是那种说了话不算数的人！"

孟星魂什么话都没有再说，突然纵身，人已跃入井水里。

律香川俯下身，道："快上来，愈快愈好，我等得不耐烦时，说不定会将这口井封死的。"

孟星魂道："我明白。"

律香川又笑了笑道："很好，我早就知道你是个明白人。"

井水冰冷。

冰冷的井水已将孟星魂的身子包围，他全身都已浸入井水里，直到他完全冷静。

然后他立刻将自己的计划重头再想一遍！

他当然不会真的来杀老伯，谁也不能要他来杀老伯。

他这么样做，只不过为了要见到老伯，然后计划别的。

"老伯无论在哪里，那地方就绝不会只有一条退路。"

他确信这一点，确信这密道必定另有退路，确信自己可以帮老伯逃出去。

孟星魂已消失在井水中。

律香川站在那里，看着，等着。

然后，他身后忽然响起了一个人的脚步声。

他并没有回头。

因为他知道来的是谁。

这地方四面已布下三重埋伏——一百四十六个人，三重埋伏。

除了他亲信的人之外，连苍蝇都休想飞得进这里来。

现在的律香川已不比从前，他的生命已变得非常珍贵。

脚步声很轻，说话的声音低沉而有魅力。

高老大直走到他身旁，也俯首看着井水，淡淡道："你认为他真的会去杀老伯？"

律香川道："他绝不会。"

高老大道："那么你为何要让他下去？"

律香川道："我可以让他下去，却绝不会再让他上来。"

高老大眼波流动，道："可是你有没有想到过，他下面也许另有退路？"

律香川道："我想到过！"

高老大道："你不怕他们从另一条路走？"

律香川道："不怕。"

高老大道："为什么？"

律香川忽然笑了笑，道："我问你，这世上谁最了解老伯？"

高老大道："你！"

律香川道："当然是我。"

高老大说道："你认为他不会从另外一条路逃走？"

律香川道："绝不会。"

高老大道："为什么？"

律香川道："因为这里已是他最后一条退路，他既已退到这里，就无路可退……就算有路，他也绝不会再退！"

高老大道："为什么？"

律香川道："以前有没有人想到过，老伯会被人逼到井底的狗洞里去？"

高老大道："没有。"

律香川道："他既已被逼到这里，已是英雄末路，若没有把握重振旗鼓，他宁可闷死在里面，也绝不肯再出来的，他怎么能再退？他还能退到哪里去？"

他的确很了解老伯。

这里的确是死地！

“若不能够复仇、重振旗鼓的话，就不如死在这里！”

这的确是老伯早已打算好的主意。

若是再退下去，情况只有更悲惨、更糟糕，更没有报复的希望。

何况别人既然能追到这里来，就当然还能追下去。

他就算能逃，又能逃到什么时候呢？

逃亡不但是件可耻的事，而且痛苦，有时甚至比死更痛苦。

老伯的思想中，本来根本就没有“逃亡”这两个字。只有追！追捕！追杀！

高老大终于也明白律香川的意思了，嫣然道：“你是说，老伯到了这里，就好像楚霸王已到乌江，宁死也不愿再逃下去？”

律香川道：“我正是这意思。”

他忽然挥了挥手，连一个字都没有说，立刻就有一连串的人走了过来，每个人手里都捧着块巨石。

巨石投入井水里，井水飞溅而起。

三块石头、一箕泥沙，三十块石块、十箕泥沙……就算再深的井，也有被填满的时候。

他根本不必再说一个字，因为这件事也是他早已计划好了的！

高老大看着他，忽然叹了口气。

律香川道：“你为什么叹气？”

高老大道：“我高兴的时候也会叹气。”

律香川道：“你高兴什么？”

高老大道：“我当然高兴，因为我是你的好朋友，不是你的仇敌。”

无论谁若选择了律香川这种人做仇敌，都的确是件很不幸的事。

只可惜选择他做朋友的人，也同样不幸——也许更不幸些。

像律香川这种人，你只有从未看见过他，才是真正幸运的！

井壁滑开。

孟星魂滑了进去，里面的池水，就比较温暖些了。

可是在这一瞬间，他忽然变得有些畏惧，几乎不敢面对老伯！

因为他不知见到老伯后，应该怎么说。

他实在不忍告诉老伯，凤凤也出卖了他，这打击对一个老人说来实在太大。甚至会令他比被律香川出卖时更痛苦。

男人发现自己被他们所爱的女人欺骗了之后，那种愤怒和痛苦，世上几乎再也没有别的事能比得上！

孟星魂更不忍告诉老伯，他最后的一注也已快被人吃掉，最后的希望也已断绝。

现在已没有人能赶到飞鹏堡去，将那些人救回来！

但现在也已到了无法再逃避现实的时候。

孟星魂在心里叹了口气，只希望老伯能比他想象中还坚强些。

他探出了头。

他愣住！

密室中的情况还是和他离开的时候完全一样，连枕头摆的位置都没有变。

但老伯却已不见了。

孟星魂从池子里跃出来，水淋淋地站在那里，冷得不停地发抖。

他虽然刚从冷水里跃出来，却好像在寒夜中一下子跌入冷水里。

这变化使得他所想的每件事都忽然变得既愚蠢，又可笑。

这变化简直是他做梦都没有想到过的！

过了很久，他才渐渐恢复了思考的能力。

老伯怎么会不在这里？

他是自己走的，还是被人劫走的？

他为什么忽然走了？走到哪里去了？

他还能到哪里去？

问题一个接着一个，所有的问题似乎全都无法解释。

开始时孟星魂的思想乱极了，但是忽然间，他眼睛里闪出了光。

他听到一阵细碎的语声，从那通风的铁管中传了过来。

这声音仿佛给了他某种强烈的暗示，使得他眼睛发出了光。

“这该死的老狐狸！”

他嘴里虽低声诅咒着，人却已倒在床上，大笑了起来，笑出了眼泪。

就在这时，他听到了第一块石头投入井水的声音。

接着，就是一连串天崩地裂的震动，这安全而坚固的地室，似乎都已被震动得摇晃起来。

孟星魂知道律香川已准备将这口井封死，可是他除了躲在那里听着之外，什么事都不能做，什么法子都没有。

他并不惊惶。因为他确信这密室中必定还有第二条路。

震动终于平息——无论多深的井，总有被填满的时候。

孟星魂慢慢地坐了起来，开始找寻他的第二条路。

没有第二条路！

孟星魂终于绝望，终于放弃。

若连他都找不出那第二条路，就表示这里根本没有第二条路。

他坐下来。

这时他还没有感觉到恐惧，只觉得很诧异，很奇怪。

他想不通老伯怎会将自己置于死地。

死一般的静寂。

地室中变得愈来愈热——坟墓中是不是也像这么热？

孟星魂忽然发觉呼吸也已渐渐困难。

他索性躺了下去！

“一个人在完全静止的时候，所需要的空气就比较少些。”

他虽然并不能了解这是什么道理，但却知道只有这么做是对的。

他就像野兽一样，对求生总能有某种奇妙的本能和直觉。

地室的顶也是用灰色的石板砌成的。

四四方方的石屋，看起来就像是一口棺材。

孟星魂静静地躺了很久，想了很久，忽然了解老伯为什么没有在这里留下第二条路了。

一个像老伯那样的人，若已被迫得逃到这种地方，像臭鼬一样躲在这地洞里，他心里的那种感觉，一定已比死更痛苦。

若不能雪耻复仇，他怎么还能活得下去？

“我若是老伯，我也不会再准备逃走了。既已到了这里，就已只有一条路可走！”

孟星魂长长叹息了一声，心里忽然涌出一阵恐惧之意。

那并不是对死的恐惧。

死并不可怕，可怕的只是他知道自己今生再也见不到他心爱的人。

世上，也只有这种恐惧比死更可怕，更令人痛苦。

“若没有我，小蝶怎么能活得下去？”

想起小蝶看着他的最后那一眼，想起她那充满了痴情蜜爱，充满了期望哀求的眼色。

孟星魂眼睛里忽然涌出了一串泪珠。

水井已被填平、打实。

律香川背负着手，站在旁边欣赏着，就像是一个伟大的画家，正在欣赏着自己历时虽久，却已终于完成的杰作。

“没有人再能从这口井里逃出来！就连老伯也绝不能！”

这里就是老伯和孟星魂的坟墓。

律香川忽然笑了笑，悠然道：“看来老伯真是个够朋友的人。”

高老大看着他，显然还不明白他这话的意思。

律香川微笑着又道：“他什么事都用不着朋友去操心，就连他自己的坟墓，他自己都早就准备好了。”

高老大也笑了笑，淡淡道：“无论如何，这坟墓总算很结实，一个人死了后，能有这样的坟墓，也该满意了。”

酷热，一种令人窒息的酷热。

这里并不是坟墓！

这里就是地狱。

但地狱中至少还有光，还有火，这里的灯却已忽然熄灭。

孟星魂躺在黑暗中，流着汗，黑暗中仿佛已有只无情的手，按住了他的喉。

他知道自己活下去的希望已很小，愈来愈小。

“但老伯却还是活着的。”

老狐狸终于骗过了所有的人，找出了他雪耻复仇的路。

他的确骗过了所有的人，就连孟星魂都被他骗过了。

可是孟星魂并没有怨恨，也没有责怪。

想到律香川最后发现真相的表情，孟星魂甚至忍不住要笑出来。

他很想还能笑一笑，很想，想得要命。

只可惜他已笑不出。

律香川正在笑，没法子不笑。

现在所有的仇敌都已被消灭，所有的阴谋和奋斗都已结束。

等在他前面的，只有无穷的光荣、权力、财富、享受。现在他不笑，还要等到什么时候?

高老大看着他，已看了很久，那眼色也不知是钦佩，是羡慕，还是妒忌。

律香川微笑着，忽然道："你是不是觉得我很好看？"

高老大点点头，道："当然好看，成功的人总是特别好看的，你成功了。"

律香川道："你妒忌我？"

高老大嫣然道："有一点，一点点，其余的却是羡慕。"

律香川忽然叹了口气，道："你若知道我成功是用什么代价换来的，也许就不会羡慕我了。"

高老大眨眨眼，说道："你花了什么代价？你既没有流过血，也没有流过汗，流血、流汗的都是别人。"

律香川道："不错，流血、流汗的都是别人，不是我，可是你知不知道这几年来，我过的都是什么日子？"

高老大道："我只知道你这些年来并没有过一天苦日子。"

律香川说道："要怎么样才算苦日子？我半夜里睡不着，睡着了又被噩梦惊醒的时候，你看过没有？"

高老大道："你为什么会那样子？"

律香川道："因为我担心，担心我的计划会被人发现，担心我的秘密会被人揭破，有时我甚至担心得连一口水都喝不下，一喝下去就会呕吐。"

高老大轻轻叹了口气，道："原来害人的滋味也不好受。"

律香川道："的确不好受，只不过比被害的滋味好受一点。"

他又笑了笑，悠然道："成功的滋味也不好受，只不过比失败的滋味好受一点。"

高老大道："那么你现在还埋怨什么？"

律香川道："我没有埋怨，只不过有一点遗憾而已。"

高老大道："什么遗憾？"

律香川目光凝注着远方，一字字道："我还没有亲眼看到孙玉伯的尸首！"

他忽然转身，就看到一个人正从墙外掠入，快步奔了过来。

这人叫于宏，是他带来的三队人中的一个小头目。

律香川沉下了脸，冷冷道："我叫你守在外面，谁叫你进来的！"

他的态度并不严厉，但却有一种令人冷入骨髓的寒意。他和老伯不同。

老伯有时是狂风，有时是烈日，他却只是种无声无息的阴寒，冷得可以令人连血液都结冰。

于宏的脸色巨变，人在七尺外就已伏倒在地，道："属下本不敢擅离职守，只因有人送信来，他说是急事，而且一定要交给帮主亲拆。"

老伯从来不是任何帮的帮主，也不是堡主、坛主，他喜欢别人拿他当朋友看待，虽然别人对他比任何主人都尊敬。

可是律香川却喜欢"帮主"这名字，他觉得这两个字本身就象征着一种显赫的地位和权力。

律香川道："信在哪里？"

第三十二章

同归于尽

信封是普通的那一种，薄薄的，分量很轻。

信封上并没有写什么，里面也没有信。

但这信封却并不是空的。

律香川将信封完全撕开，才看到一丛细如牛毛般的银针。

这正是他的独门暗器七星针，正是他用来对付老伯的一筒七星针。

他认得这筒针，因为这种暗器他从未用过第二次。

现在这一筒针竟又赫然回到他手里！

他忽然觉得全身冰冷，厉声喝叫道："送信的人呢？"

于宏道："还在外面等着。"

他这句话还没有说完，就已看见律香川的身子凌空掠起。

就在这时，他也听到了墙外传入的惨叫声。

墙外的埋伏每三人分成一组。

三个人中，一个是用刀的好手，一个是射箭的好手，另外一个用的是钩镰枪。

于宏用的是刀。

他听到惨叫声，正是他同组的伙伴发出的。

呼声尖锐而短促。

律香川当然也听见了，他掠过墙头时，甚至也看到一条人影正从墙外向远方蹿了出去。

那显然一定是送信来的人。

可是律香川并没有追过去，反而将身子用力收缩，凌空纵身，又落回墙头。

墙脚下有一柄折断了的弓和一根折成三截的钩镰枪。

两个人都已伏在地上，头颅软软地歪在一旁，脖子仿佛已被折断。

律香川这次带来的人，虽然并不能算是武林高手，但也绝没有一个弱者。

送信来的这人竟能在一瞬间拍断他们的脖子，扬长而去。

律香川凝视着远方的黑暗，忽然目中似又露出一丝恐惧之意。

他没有追，仿佛生怕黑暗中有某一个他最畏惧的人正在等着他！

过了很久，他脸色才渐渐恢复平静轻轻跃下。

高老大已在墙下等着，目光带着三分惊讶，七分疑惧。

她轻轻问道："送信来的是谁？"

律香川摇摇头。

高老大道："送来的那封信呢？"

律香川慢慢地伸出了紧握着的手，过了很久，才慢慢地摊开。

掌心有一团握皱了的纸，纸包里有七根牛芒般的银针！

高老大皱了皱眉，道："这是什么？"

律香川道："这是我用的七星针！"

高老大道："是你的独门暗器？"

律香川点点头。

高老大道："既然是你用的暗器，又有什么好大惊小怪的？"

律香川的双手又紧紧握起，沉声道："但这暗器本来应该在老伯脊椎里的。"

高老大的脸色也变了，连呼吸都已停止。

老伯若已被埋在井底，这暗器怎会回到律香川手里来？

过了很久，高老大总算才吐出口气，道："莫非他已不在下面？"

律香川咬紧牙，点了点头。

高老大道："可是……可是他既已逃了出去，为什么又要将这针送回来呢？他这是什么意思？"

律香川的脸色在夜色中看来惨白如纸，又过了很久，才一字字道："我明白他的意思。"

高老大道："你明白？"

律香川道："他的意思是想告诉我，他并没有死，而且随时随刻都可以回来找我！”

高老大道：“他为什么要叫你提防着他呢？你若不知道他还活着，他来暗算你岂非更容易些？”

律香川道：“他就是要我时时刻刻提防着他，要我紧张，要我害怕……他就算要我死，也不会要我死得太容易！”

他忽又笑了笑，道：“可是我绝不会上他这个当的，绝不会。”

他继续笑道：“我绝不上他这个当的，绝不！”

他虽然在笑，可是他的脸却已因恐惧和紧张而扭曲！

高老大目光也在凝视着远方的黑暗，目中也露出了恐惧之色，轻轻道：“他若真的回来了，要找的人就不止你一个。”

律香川慢慢地点了点头，道：“他要找的人当然不止我一个。”

高老大看着他，忽然握住了他的手。

两双冰冷的手，立刻紧紧握在一起。

他们两个人从来也没有如此接近过，但这时恐惧却使得他们不能不结合在一起。

夜已很深，远方一片黑暗。

他们所恐惧的那个人，究竟什么时候会来？

有谁知道？

谁也不知道！

孟星魂更不知道。

现在他神志已渐渐昏迷，忽然觉得有说不出的疲倦，只想舒舒服服地睡一觉。

可是他也知道这一睡着，就永远不会醒来了。

他挣扎，勉强睁开眼睛，但眼皮却愈来愈重，重得就像铅块。

死亡已在黑暗中等着他。

直到他知觉几乎已完全丧失时，还反反复复地在说着一句话：“小蝶，我对不起你……”

孟星魂突然惊醒。

他是被一阵急遽的敲击声惊醒的，听来那就像骤雨打着屋顶的声音。

开始时他还以为自己又回到了他那海滨的小屋里。

窗外密雨如珠，床上的被单虽陈旧，却是刚换过的。

他正躺在床上，紧拥着他爱妻光滑柔软的胴体，倾听着雨点落在屋顶的声音——那声音听来就像是音乐。

只要有她在身旁，天地间每种声音，听来都如音乐。

风正从窗户里吹进来，吹在他脸上，清凉而舒适。

他突然张开眼睛。

没有雨，没有窗子，也没有他心爱的人。

但却有风。

风竟是从那本已被封死的铁管中吹进来的，敲打的声音也同样是从这里传进来的。

这是怎么回事?

难道有人又要为他挖坟墓?

他想不通，更想不出有谁会来救他。

但却的确有风，那不但使他渐渐清醒，也使得他精神渐渐振奋。

他感觉一种新生的活力，又随着呼吸进入他身体里、血管里。

死亡已离他远去。

他摇了摇自己的手，好像要澄清这并不是梦，然后正想坐起。

就在这时，忽然有一点火光亮起，接着，他就看到一个人从水池里伸出头来，手里高高举着火折子。

一个陌生人。

他当然有些惊讶，这陌生人神色却更慌，眼珠子溜溜地四下一转，只看了一眼就匆匆钻回水池里。

过了半晌，他就听到一个陌生的声音从那通风的铁管中传进来。

“里面只有一个人。”

孟星魂忽然笑了，他忽然明白这是怎么回事。

于是他等着。

并没有等太久，他就又看到一个人从水池里钻出来。

这人并不陌生。

律香川已从水池中跃出，站在床前，而且已用防水的火折子燃起了灯。

他脸上虽然还带着微笑，但看起来已远不及平时那么温文尔雅，容光焕发了。

无论谁一身水淋淋的时候，样子都不会太好看的。

孟星魂却很喜欢看到他这样子，所以眼睛始终盯在他身上。

律香川的眼睛却在四面移动着。

一个人样子很狼狈的时候，非但不愿意被人看见，也不想去看别人。

孟星魂忽然笑了笑，道："你在找谁？"

律香川只好回头看着他，也笑了笑，道："你瞧我是来找谁的？"

孟星魂笑道："我只知道，你绝不会是来找我的。"

律香川道："为什么不会？这里除了你之外，还会有什么人？"

孟星魂道："你知道老伯不在这里？"

律香川笑笑。

孟星魂笑笑道："你当然已知道他已不在这里，才敢下来。可是你怎么知道的呢？"

律香川没有回答。

他一向拒绝回答对他不利的话。

所以他又朝四面看了看，走到床前，在床上按了按，又走过去，撕下条咸肉尝了尝，皱着眉头喃喃道："床太硬，肉也太咸，我若是他，一定会将这地方弄得舒服些！"

孟星魂笑笑道："他用不着将这地方弄得太舒服。"

律香川道："为什么？"

孟星魂道："因为他绝不会在这地方待得太久的！"

律香川霍然转身，盯着他的脸，过了半晌，忽又笑道："你好像很佩服他。"

孟星魂道："我的确很佩服他，可是，最佩服他的人却不是我。"

律香川道："哦？"

孟星魂淡淡道："最佩服他的人是你，所以你才怕他，就因为怕他，所以才想干掉他。"

律香川虽然还在笑，笑得却已很勉强。

孟星魂道："你难道不承认？"

律香川忽然叹了口气，道："我承认，能骗过我的人并不多。"

孟星魂道："一心想骗朋友的人，自己迟早也有被骗的时候，这句话你最好永远记住。"

律香川道："这句话是谁说的？"

孟星魂道："我。"

律香川冷笑道："但你自己岂非也同样被他骗了？"

孟星魂道："不错，我也被他骗了，也上了他的当，但这样的当我情愿再上几次。"

律香川目光闪动，道："你什么时候才知道自己上了当的？"

孟星魂道："一走进来我就知道了。"

律香川道："你也已想通了这是怎么回事？"

孟星魂点点头。

律香川又叹息一声，道："你可不可以从头说给我听听？"

孟星魂道："可以。"

他脸上的表情仿佛很奇特，忽又笑了笑，接着道："就算你不想听，我也非说给你听不可。"

律香川道："我在听着。"

其实没有人能比他对老伯这计划了解得更清楚，但他的确还是在很仔细地听着。

因为他这一生中，从来也没有受过如此惨痛的教训，所以这件事的每一个细节，他都希望能知道得更详细、更清楚。

他希望永远也不要再犯同样的错误。

孟星魂道："这整个计划中最重要的一个人是谁，你知道么？"

律香川道："我知道，是凤凤。"

孟星魂道："不错，假如这也是一出戏，戏里的主角就是凤凤，不是你。"

律香川淡淡道："任何人都不可能在每出戏里都当主角。"

孟星魂道："只可惜她这次扮的却是个很悲惨的角色，不但悲惨，而且可笑。"

"悲惨"和"可笑"并不冲突，因为这两种结果本是同一原因造成的——愚蠢。

愚蠢可以使一个人的境遇悲惨，也可以使他变得很可笑。

孟星魂道：“凤凤也许并不能算很愚蠢，只不过她太相信自己，也太低估了老伯。”

律香川叹了口气，道：“愚蠢的人是喜欢自作聪明的！”

孟星魂道：“她以为她已骗过了老伯，以为老伯已被她迷住，却不知老伯早已看破了她的用心，所以才故意放她走的。”

律香川叹道：“我本就在奇怪，老伯怎么会信任一个她那样的女人？”

孟星魂道：“老伯故意让她相信已将最后一注押在飞鹏堡，再故意让她将秘密泄露给你，那时非但她完全深信不疑，连我都相信了。”

律香川冷冷道：“但老伯为什么要骗你，难道他也不信任你？”

孟星魂道：“不，他这样做只是要使得这件事看来更真实，因为我若已知道他的计划，态度一定变得会有些不同，你当然立刻就会看出来的。”

他又笑了笑，道：“老伯当然也知道，无论谁要骗过你都不是容易的事。”

律香川道：“要骗过你好像也不容易。”

孟星魂说道：“我刚才若未发现从这通风铁管中，可以听到外面的声音，到现在也许还不明白这件事。”

律香川道：“哦？”

孟星魂道：“我还未找到这里的时候，老伯已将凤凤放出来了，那时她当然觉得很得意，一个人得意时总忍不住会笑的！”

律香川道：“你听到她在笑？”

孟星魂道：“我若未听到她的笑声，也许永远都不会发现老伯藏在这里。”

律香川叹道：“这又给了我个教训，一个人最好永远都莫要太得意。”

孟星魂道：“那时老伯就算真的被她骗过了，他已经从这铁管中听到她得意的笑声，第二次又怎会再放她走呢？”

律香川道：“所以你才能确定，老伯一定是故意放她走的？”

孟星魂道：“不错。”

孟星魂又接着道：“我不了解老伯的用意，所以将她押回来了。老伯当时看到我将她押了回来，心里一定在怪我多管闲事，可是，他面上却丝毫不动声色。”

第三十三章

奇兵突出

律香川淡淡道："也许那时他就已经想到怎么样来利用你，只要可以被他利用的人，他一向都非常欢迎的。"

孟星魂微笑道："很对。"

律香川冷笑道："奇怪的是有些人被他利用了之后，居然还好像很得意。"

孟星魂道："我本来就很得意。"

律香川道："你得意什么？"

孟星魂道："因为我现在总算已完全明白他的意思了，你却还被蒙在鼓里。"

律香川道："哦？"

孟星魂道："你知不知他这计划最重要的一点是什么？"

律香川沉吟着道："他要我相信他还躲在这里，要我动用全力到这里来对付他，他才能乘机赶到飞鹏堡去会合等在堡那边的人，因为他只有将这最后一分力量保存下来，将来才有反击的机会。"

孟星魂道："你认为真有那么多人在飞鹏堡外等着？"

律香川道："绝不会没有。"

他说得很肯定。

因为他知道老伯每一次决战之前，都计划得十分仔细周密，不到万无一失时，绝不会出手。

飞鹏堡那边若没有人等着从后山接应，老伯就绝不会亲自率领十二队人自正面攻击。

孟星魂道："你认为那些人不管有没有接到老伯的讯号，都会在初七的正午发动攻击？"

律香川道："那只因为老伯早已和他们说好了在初七的正午动手！"

这次他说的口气已没有刚才那么肯定了。

孟星魂道："你认为老伯真的早就和他们说定了？难道他就完全没有考虑到临时会发生意外？他是不是个如此粗心大意的人？"

律香川忽然说不出话来了。

孟星魂淡淡道："你总该知道，这一战对他的关系多么重大，他怎么会下如此草率的决定？"

律香川的脸色已有些发青，过了很久，才缓缓道："那么你认为他这样做是什么意思？"

孟星魂道："他的意思，就是要你到这里来找我！"

律香川道："我还不懂。"

孟星魂道："他算准了我会在半途被你拦截，我一个人孤掌难鸣，自然难免会落在你们手里。"

律香川道："还有呢？"

孟星魂道："他也算准了你们会迫我到这里来，迫着我下去杀他。"

律香川道："他认为我能够用什么法子来胁迫你？"

孟星魂目中现出怒意，冷笑道："用小蝶，用高老大，你这人本就什么手段都用得出的。"

律香川道："他是不是也算准了你一下来，我就会将这口井封死？"

孟星魂道："也许！"

律香川道："他还算准了什么？"

孟星魂道："他还算准了你一定会将这口井重新挖开，一定会自己下来找他，因为他一定有法子让你知道他已不在这里。你既害怕，又怀疑，当然非亲自下来看看不可。"

律香川突然冷笑，道："照你这么说，他算出来的事倒真不少！"

孟星魂道："的确不少。"

律香川冷笑道："你以为他是什么？是个活神仙？"

孟星魂淡淡道："不管他是不是这么厉害的，我只知道至少有一样事他没有算错。”

律香川道：“什么事？”

孟星魂盯着他，一字字道：“他算准了只要你一下来，我就不会再让你活着上去。”

律香川脸色似已忽然变了。

孟星魂道：“别的事你信不信都没关系，这一点你却非相信不可！”

律香川也在盯着他，惨白的脸色在暗淡的灯光下看来，就像是戴着个纸糊成的面具，虽然全无表情，却显得更诡秘可怕。

孟星魂的脸色当然也不好看。

他已坐了起来，正盘膝坐在床上，一只手按着被单，一只手按着枕头。

这样子坐着好像并没有什么特别，无论谁坐在床上，姿势都会跟他差不多。

奇怪的是，大敌当前，他怎么还能这样子舒舒服服地坐着？

只有他自己知道，坐着不但比躺着好，也比站着好。

若是站在那里，就无异将全身都变成律香川暗器的目标，但坐着时却可以将自己的身子缩小到最低程度。防守的范围总是愈小愈好的。

何况，到了必要时，这枕头就是他抵抗暗器的盾牌，这被单就是他攻击的武器。

内家“束絮成棍”的功夫，他虽然并没有练过，但一个像他这种终生以冒险为职业的人，无论任何东西到了他手上，都是武器。

律香川一直在仔细观察着他，就像是一个驯兽师在观察着笼中的猛兽。

他的表情冷静而严肃，孟星魂每一个细微的表情和动作，他都绝没有错过。

孟星魂也正以同样冷静的态度在观察着他。

那情况又像是两匹狼在笼中互相窥伺，互相等着对方将弱点暴露，然后就一下子扑上去，咬断对方的咽喉。

也不知过了多久，律香川忽然笑了笑，道：“看来你的确是个很可怕的对手。”

孟星魂道："哦？"

律香川道："你不但很懂得隐藏自己的弱点，而且很沉得住气。"

孟星魂道："哦？"

律香川道："只可惜你已犯了致命的错误，错得简直不可原谅。"

孟星魂道："哦？"

律香川道："你对付我这样的人，本不该采取守势的，因为我最可怕的一点是暗器，所以你就该先发制人，封住我的出手。"

孟星魂凝视着他，慢慢地点了点头，道："我的确本该抢先出手的，可是我不能这么做。"

律香川道："为什么？"

孟星魂道："因为我的腿受了伤，动作已远不及平时灵活，若是抢先出手，一击不中，情况就可能比现在更危险。"

律香川道："你没有一击就中的把握？"

孟星魂道："没有，对付你这样的敌手，谁也没有一击必中的把握。"

律香川道："所以你不敢冒险？"

孟星魂道："我的确不敢。"

律香川忽又笑了笑，道："其实你本不必对我说实话的。"

孟星魂道："你本来也不必提醒我的错误，我犯的错误愈大，对你岂非愈有利？"

律香川道："我提醒你的错误，只不过想诱你先出手。"

孟星魂道："你失败了。"

律香川也慢慢地点点头，道："我失败了。"

直到现在为止，他们的态度还是很冷静，极端冷静，绝不冲动，绝不烦躁。

但极端冷静也是种可怕的压力。

幸好这密室中没有第三个人，否则他也许会被这种奇特的压力迫得发疯。

又过了很久，孟星魂忽然也笑了笑，道："其实我也早就知道你是个很可怕的对手。"

律香川道："多谢。"

孟星魂道："你不但也很沉得住气，而且很懂得压迫对方，使对方自己将弱点暴露。"

律香川微笑道："我杀人的经验，也许并不比你少。"

孟星魂道："但现在你已知道我的弱点，为什么还不出手？"

律香川道："因为你就算有弱点，也防守得很好，防守有时比攻击更难，你防守的能力却比我见过的任何人都好得多。"

孟星魂道："可是你的暗器……"

律香川道："我的暗器虽利，但用来对付你，也同样没有一击必中的把握！"

孟星魂道："你用不着有一击必中的把握，一击之后，你还可以再击！"

律香川道："你又错了。"

孟星魂道："哦？"

律香川道："高手相争，只有第一击才是真正可以致命的一击。一击之后，盛气已衰，自信之心也必将减弱，再击就更难得手。"

孟星魂道："所以你在等着我先出手。"

律香川道："我一向很沉得住气。"

孟星魂又笑，道："你不妨再等下去。"

律香川道："我当然要等下去，等得愈久，对我愈有利。"

孟星魂道："哦？"

律香川微笑道："你知不知道你那高老大也来了？"

孟星魂道："不知道。"

律香川道："她若久久不见我上去，一定也会下来看看的。"

他微笑着，悠然接着道："她就算不会助我出手，但有她在旁边，你一定会觉得很不安的，那时我机会就更大了。"

孟星魂的眼角又开始跳动，但脖子却似已渐渐僵硬。

律香川盯着他的眼睛，缓缓道："其实高老大一直对你不错，我也一直对你不错，只要你愿意做我的朋友，我立刻就可以将过去的事全部忘记。"

孟星魂道："但我却忘不了。"

律香川道："你忘不了的是什么？"

孟星魂道："忘不了你那些朋友的下场！"

律香川叹了口气，道："所以你还是决心要杀我？"

孟星魂道："不是要杀你，是要你死。"

律香川道："那又有什么不同？"

孟星魂道："我没有把握杀你，但却有把握要杀死你！"

律香川道："我还是不明白你的意思。"

孟星魂道："我的意思，就算你杀我的机会比较多，我还是可以要你陪着我死，无论我是死是活，反正你都已死定了。"

他说话的态度还是很冷静，每个字都好像是经过深思熟虑之后才说出来的，而且确信自己说出了之后，就一定能做到。

律香川目中也露出一丝不安之色，勉强笑道："但你还是不敢先出手！"

孟星魂道："不错。"

律香川道："我并不想杀你，你既不敢出手，我就可以走。"

孟星魂道："你可以走。"

律香川道："你若想拦阻我，就势必要先出手，只要你一击不中，我就可以立刻置你于死地，那时你就绝没有法子再要我陪你死了！"

孟星魂淡淡道："不错，你走吧，我绝不拦你，但你也莫忘了，这里只有一条退路。"

他的态度更冷静，慢慢地接着道："你退的时候，我绝不拦你，但只要你一跃入水池中，我就会立刻跟着跳下去。在水池里，你更连一分机会都没有。"

律香川冷笑道："你怎知道我水里的功夫不如你？"

孟星魂道："我不知道，所以你不妨试试。"

律香川看着他，瞳孔突然收缩，鼻尖似也已沁出汗珠。

孟星魂脖子上紧张的肌肉松弛，微笑道："我固然不敢冒险，但你却更不敢，因为你的命现在比我值钱得多。"

律香川半垂下头，目中露出一丝狡黠恶毒的笑意，道："你认为我的命比你值钱，所以比你怕死，但我却知道有个人的看法和你不同。"

孟星魂道："谁？"

律香川道："小蝶，孙小蝶。"

他仰面而笑，接着道："在她眼中看来，你的命一定比谁都值钱得多，你忍心抛下她死么？"

小蝶！这名字就像是一根钉子，忽然被重重地敲入孟星魂心里。

他的心一阵抽痛，痛得连眼泪都几乎忍不住要夺眶而出。

天上地下，绝没有任何事比这名字更能打动他。

绝没有。

所以就在这时，律香川已出手！

任何人都知道律香川最可怕的武功就是暗器。

可是这一次他并没有用暗器。

他突然一把抓住了铺在床上的垫被，用力向外一拉。

坐在被上的孟星魂立刻就仰面倒下。

律香川已闪电般出手，抓住了他的足踝，用力向外一拧！

连他自己都未想到一个人踝骨碎裂的声音听来竟是如此刺耳。

但就在这时，孟星魂手里的被单也挥出，蒙住了他的头。

接着，孟星魂的身子也已弹起，用头顶额角猛撞他的鼻梁。

他也仰面跌倒，冷汗随着眼泪同时流下。

孟星魂咬紧牙关，从床上跳下，压在他身上，挥拳痛击他胁下的肋骨。

这些拳头无论哪一击都足以令人立刻晕厥。

但这两人却仿佛天生就有种野兽般忍受痛苦的本能。

两人的骨头虽已都被对方打断了很多根，但还是互相纠缠着，不停地殴打——谁也想不到刚才那么冷静的两个人，忽然间全都变成了野兽——这是不是因为他们心里隐藏的仇恨在这一刹那间突然全都发作?

律香川忽然一拳击在孟星魂小腹上。

孟星魂踉跄后退，全身都已随着胃部收缩，整个人都缩在床角。

律香川鼻孔里流着血，喘息着，还想扑过去，却已几乎精疲力竭。

孟星魂也已不再有余力反击，却还在挣扎着，嘶声道："我说过，我死，你也得陪我死！"

律香川咬着牙，狞笑道："你为什么如此恨我？难道只因为小蝶的儿子是我的？你可以把小蝶抢走，但却抢不走我的儿子。"

孟星魂已愤怒得全身发抖。

“你若想要别人死，自己就得保持冷静，否则你也得死！”

很少有人比孟星魂更明白这道理，但这时他自己却已完全忘记。

律香川为什么也忘了呢?

难道在他心底深处，也是爱着小蝶？还是到他失去小蝶后，才发现自己是爱着她的?

所以他心里的仇恨也和孟星魂同样深。

两人咬着牙，瞪着对方，野兽般喘息着，只要自己的力气恢复了一分，就要向对方扑过去。

但就在这时候，他们忽然同时听到一声叹息。

已有人无声无息地从池水中钻了出来，就像是鱼一般轻，鱼一般滑，甚至连水花都没有被他激起。

无论谁一生中，都很难见到一个水性如此精妙的人。

一个陌生人。

一个很胖的陌生人。他浮在水上时，身子里好像已吹满了气。

他正摇着头叹着气道：“两个一辈子都在练武的人，打起架来居然像两头野兽一样，你们自己难道就一点也不觉得惭愧？”

律香川忽然也长长叹息了一声，道：“我实在很惭愧，惭愧极了。”

他虽然在叹息着，但眼睛里却又发出了光。

孟星魂忽然发现他一定是认得这个人，非但认得，而且熟得很。

他的帮手终于来了。

孟星魂的心沉了下去，无论谁都看得出，这人也许并不是很可靠的朋友，但却一定是个很可怕的敌人。

这人的眼睛也正在盯着孟星魂。

他的眼睛很小，但却在闪闪发着光，就像是针尖一样。

他的脸很圆，就连在叹息的时候，脸上都带着笑容，只不过笑得很奇特，让你觉得他就算杀人的时候，也一定是在微笑着的！

他轻飘飘地浮在水上，全身仿佛连一点重量都没有！

孟星魂也从未见过水上功夫如此精妙的人，忍不住问道：“你是谁？”

这人笑笑道："你不认得我，我却认得你！"

孟星魂道："你认得我？"

这人微笑道："你姓孟叫星魂，听说是近十年来江湖中最冷酷，也最懂得杀人的刺客，但今天你却让我失望得很。"

他又摇着头，叹息着喃喃道："一个成了名的刺客，就算要跟人拼命，至少也得保持一点点成名刺客的气度，怎么能像野狗般乱咬人？"

孟星魂凝视着他，过了很久，忽然道："你认得我，我也认得你！"

这人道："真的？"

孟星魂冷冷道："你姓易，叫潜龙，听说是近三十年来在江湖中水性最精妙、武功最博的人。"

这人大笑，道："你果然认得我。"

孟星魂笑道："但你却早已令我失望得很。"

易潜龙道："为什么？"

孟星魂道："因为你本是老伯最好的朋友，但却在他最困难的时候，出卖了他。"

易潜龙瞪眼道："谁说我出卖了他，我只不过不想再见他而已！"

孟星魂道："为什么不想再见他？"

易潜龙道："因为我知道只要一见着他，他就会要我去替他拼命。"

孟星魂道："所以你就溜了？"

易潜龙道："这种时候不溜，还要等到什么时候才溜？"

他理直气壮地说出来，好像这本是天经地义的事。

孟星魂冷笑道："好，够义气，够朋友！"

易潜龙道："我不能太够朋友，老伯看得起我，就因为我是个老江湖。老江湖的意思就是不能太过讲义气，脸皮也不能太薄。"

孟星魂冷冷道："你的确是个标准的老江湖。"

易潜龙忽然叹了口气，道："我也知道你有点看不起我，可是你知不知道我有多少个儿子？多少个老婆？"

他不等孟星魂回答，就接着道："我有十七个老婆，三十八个儿子，女儿还不算，你说，我还能不能够为别人去拼命？我若死了，谁替我养那些孤儿寡妇？”

孟星魂居然在听着。

他本来绝不会和这种人说话的，对付这种人，用拳头远比用舌头正确得多，但是他现在太需要时间。

需要时间来作判断，需要时间来恢复体力。

只有谈话才能给他时间，所以这次谈话虽然令他愤怒又恶心，他却还是只有听下去，说下去。幸好易潜龙也像是很喜欢说话的人。

孟星魂道：“你既已溜了，为什么又回来？”

易潜龙道：“第一，我知道老伯已没法子叫别人为他拼命了；第二，我需要钱。”

孟星魂道：“你需要钱？”

易潜龙又叹了口气，苦笑道：“我们家吃饭的人太多，赚钱的人却太少，无论谁想养活我那一大家子的人都不是件容易事！”

孟星魂道：“你想找谁要钱？”

易潜龙道：“找个愿意给我钱的人，无论谁给我钱，只要是钱，我就要。”

他看着孟星魂，眨了眨眼，又笑道：“你有没有钱？”

孟星魂道：“没有。”

易潜龙道：“那么我就只好找别人了！”

孟星魂道：“我虽然没有钱，但却可以想法子替你找到钱。”

易潜龙道：“什么法子？”

孟星魂道：“律香川很有钱，你只要杀了他，他的钱岂非全都是你的？”

易潜龙拊掌大笑，道：“不错，听起来这倒是个好主意。”

律香川一直在旁边微笑着，听着，此刻忽然道：“这主意只有一点不好。”

易潜龙道：“哪点不好？”

律香川道：“我虽然很有钱，但却没有人知道我的钱藏在哪里！”

易潜龙道：“我可以找。”

律香川道：“我可以保证你绝对找不到。”

他笑了笑，接着道：“但你只要杀了孟星魂，我就把我的钱分一半给你！”

易潜龙道：“只有一半？”

律香川道：“一半总比没有好。”

易潜龙又大笑，说道：“不错，就算一文也比没有好。”

他转向孟星魂，脸上还在笑，又道：“看来我只有杀了你了。”

孟星魂慢慢地点了点头，道：“看来你的确只有杀了我了。”

易潜龙道：“我有了钱之后，一定会替你买口好棺材的。”

孟星魂道：“谢谢你。”

易潜龙道：“你还有什么遗言没有？”

孟星魂道：“只有一句。”

易潜龙道：“你快说，我喜欢别人的遗言，一个人临死前说的话，通常都有点道理。”

孟星魂道：“还没有拿回来放在自己口袋里的钱，就不能算是钱。”

易潜龙拊掌道：“有道理，果然有道理。”

孟星魂道：“有些人问他要钱的时候，他通常却只会在背后给你一刀的！”

易潜龙道：“我虽然已有很多年没挨过刀了，倒还记得那种滋味并不太好受。”

孟星魂道：“很不好受，尤其是你，像你这么胖的人，挨了刀之后，一定会流很多血。”

易潜龙忽然用力摇头，道：“不行，我怕流血，小律，我看我们这交易还是谈不成。”

律香川在旁边听着，一直不动声色，此刻才微笑着道：“我肋骨已断了三四根，鼻梁好像也断了，你杀了他后，还怕我不付钱？”

易潜龙说道：“是呀！我怕什么？可是为了安全起见，我看我们不如还是一起上去，等你付了钱之后，我再杀他！”

律香川道：“这样子也行。”

孟星魂道：“不行！”

易潜龙道：“为什么不行？”

孟星魂道：“上去之后，就是他的天下了。”

易潜龙看着他，淡淡道："你好像还没有弄清楚一件事。"

孟星魂道："什么事？"

易潜龙道："现在我是老大，我说行就行，根本就没有你说话的余地了。"

孟星魂道："现在你是老大，到了上面，你就不是了。"

易潜龙道："只要有钱拿，我就算做孙子也没关系。"

孟星魂道："好，我也有钱，我给你！"

他身子突然跃起，好像要扑过去跟易潜龙拼命，但跃到半空，突然一拧腰，已转向律香川。

他要找的是律香川，不是易潜龙，也不是别人。

他就算死，也得要律香川陪着他死。

只可惜律香川早已防到他这一招，他还没有扑过去，律香川已滚入水池里。

水很冷。冷水能令人清醒。

律香川一头扎入水里，既不想要孟星魂的命，也不想跟易潜龙啰唆，只想赶快离开这鬼地方。

好像有人抓住了他的脚。

可是他已在水里摸到了那道暗门，用力往前一冲，抬起头，已可看见井口的星光。

好可爱的星光。

他总算已离开了那鬼地方，而且以后也不会再来了。

风吹在身上，肋骨断了的地方痛得要命。

可是律香川不在乎。

现在无论什么事他都已不在乎。

现在他又已是老大。

在上面等着他的高老大，已连人影都看不见了。

"女人果然没有一个靠得住的！"

律香川咬了咬牙，厉声道："来人！"

他说的话现在还是命令。

黑暗中立刻有人快步奔了过来，正是对他很忠实的那个小头目于宏。

"愈对你忠实的人，你愈不能对他客气，因为你若想要他永远对你忠实，就只有要他怕你！"

这不是老伯的原则，是律香川的。现在他已渐渐发现，他的原则不但比老伯有道理，也更有效。

所以他立刻沉下了脸，道："暗卡上的兄弟们呢？"

于宏伏在地上，看起来不但很惊慌，而且很恐惧，颤声道："兄弟们全都还在卡上防守着，没有人敢擅离职守。"

律香川冷笑一声道："你们防守得很好，非常的好……"

他忽然一巴掌掴在于宏脸上，厉声道："我问你，既没有人敢擅离职守，易潜龙是怎样进来的？"

于宏手掩着脸，吃吃道："没有人进来，属下们只看到那位高……高夫人走了。"

律香川怒道："谁叫你们放她走的？"

于宏哭丧着脸，道："她是帮主的朋友，她要走，谁也不敢拦着。"

律香川冷笑。

但他也知道现在已不是立威的时候，现在还有别的事要做。

他忽然扬手，道："弓箭手何在？过来封住这口井，若有人想上来，杀无赦！"

他的话就是命令，他的命令甚至已比老伯更有效。但这次他的命令好像不灵了。

没有弓箭手，没有人，连一个人都没有来。律香川脸色变了。就在这时，他听到易潜龙的笑声！

易潜龙不知在何时已出来了，正笑嘻嘻地坐在井上，悠然道："律帮主的弓箭手呢？为什么还不过来？"

他说的话忽然变成了命令。

忽然间，十七八条人影一起从黑暗中飞了过来，"扑通、扑通！"一起落在地上。

直直地落在地上，又直又硬。弓箭手虽然还是弓箭手，但却已全都变成了死人。

律香川突又全身冰冷，从脚底冷起，一直冷到鼻尖。

易潜龙看着他，笑道："律帮主，你的弓箭手已来了，你想要他们干什么？”

律香川似已麻木。

易潜龙道：“律帮主是不是还想将快刀手和钩镰手也一起传来？”

律香川终于勉强笑了笑，道：“不必了。”

忽然间，他的笑又变得很亲切，很诚恳，微笑着道：“其实，我早就该知道，易大叔既然来了，我就算再加八十道暗卡，在易大叔眼中也是一批废物。”

易潜龙眨眨眼，大笑道：“我几时又变成你的大叔了？”

律香川道：“易大叔一直都是我尊敬的人，从来也没有变过。”

易潜龙道：“老伯呢？我记得你以前最尊敬的人好像是他。”

律香川叹了口气，苦笑道：“我的确一直都很尊敬他，可是他……”

易潜龙道：“他怎么样？”

律香川叹道：“鸟尽弓藏，兔死狗烹，这句话易大叔总该听过的。”

易潜龙道：“我听过。”

律香川道：“在他眼中，我们只不过都是他的走狗，等到我们没有利用价值时，就只有死路一条，我舅父陆漫天就是个很好的例子。”

易潜龙道：“他杀了陆漫天？”

律香川黯然道：“我舅父有时脾气虽然古怪些，有时虽然喜欢和易大叔闹闹脾气，其实他心里一直还是将易大叔当作他生死与共的好兄弟。”

易潜龙道：“哦？”

律香川道：“所以他临终之前，还叫我转告易大叔一句话。”

易潜龙道：“什么话？”

律香川凄然道：“他说他自己是韩信，要易大叔学学张良，因为老伯和刘邦一样，只可以共患难，不可以共富贵，到了富贵时，就总要怀疑他的老朋友要来抢他的宝座。只可惜我舅父明白得太迟了，否则又怎么会惨死在他手上？”

易潜龙道：“原来你杀老伯，只不过是为了要替你舅父报仇？”

律香川点点头，道：“其实易大叔当然已很了解老伯，否则也不会悄然引退了。”

易潜龙看着他，看了很久，忽然道：“你知不知道你什么时候看起来最老实、最可爱？”

律香川摇摇头，他的确不明白易潜龙的意思。

易潜龙笑道：“就是你说谎的时候，你说谎时的样子看起来实在老实极了。”

律香川道：“易大叔明察秋毫，在易大叔面前，我怎敢说谎？”

易潜龙道：“你说的是实话？”

律香川道：“半句不假。”

易潜龙道：“但有个人的说法却跟你不同。”

律香川眨眼道：“易大叔千万不要听姓孟的话，他只不过是个见不得天日的刺客，而且是个被婊子养大的，他说的话从来也没有人相信。”

易潜龙淡淡道：“他说的话我当然不信，无论谁说的话都不信——也许只有一个人是例外。”

律香川道：“谁？”

突然间，他身后响起了一个人的声音，道：“我！”

第三十四章

最后一击

律香川身子突然软瘫。他并没有回头去看，只听到这个人的声音，全身就已软瘫。

世上只有一个人，能在他不知不觉中走到他身后。

世上只有一个人，能令他跪下。

老伯。

没有别人，只有老伯！孟星魂满眶热泪，几乎已忍不住夺眶而出。

老伯还是老样子，没有变，连一点都没有变。天地间好像没有任何人、任何事能令他改变。

他站在那里，还是站得很直，就好像一杆标枪插在地上。

淡淡的星光照着他的脸。只有他脸上的皱纹似已变得更深，但他的眸子却还是同样锐利，就好像剑已出匣，刀已出鞘。可是等他看到孟星魂时，这双冷酷锐利的眼睛里，立刻充满了温暖之意。

他只看了律香川一眼，目光就转向孟星魂。

孟星魂忽然发现他的脸并不是完全没有表情的，其实他脸上每条皱纹里，都隐藏着谁也说不出有多么丰富的感情。

他脸上每条皱纹本都是无限痛苦的经验所刻画的痕迹。

只有这种皱纹，才能隐藏他如此丰富的感情。孟星魂热泪终于忍不住夺眶而出。

老伯凝视着他，良久良久，才慢慢地点了点头，道："你很好！"

他本似有很多话要说，却只说了这三个字。

虽然只有三个字，但在孟星魂听来，却已胜过世上所有的言语。

然后他才感觉到有人在拍他的肩，他回过头，就看到了易潜龙。

易潜龙的眼睛里也充满了笑意，已不是老江湖的笑，是温暖而充满了友谊的笑。

他微笑着道："现在你总该完全明白了吧？"

孟星魂摇摇头。

他的确还不能完全明白，因为他太激动，太欢喜，几乎已完全无法思索。

易潜龙很了解，所以接着道："我非但没有出卖老伯，也没有溜走……我从来就没有溜走过。"

孟星魂忽然了解，所以就替他说了下去："别人以为你溜走的时候，其实你正在暗中为老伯训练那一批新血。"

易潜龙道："不错，无论任何组织都和人一样，时时刻刻都需要新的血液补充，否则它不但会衰老腐败，而且随时都可能崩溃。"

孟星魂目中忍不住流露崇敬之色，因为他觉得现在所面对着的，不只是个伟大的朋友！

易潜龙也看得懂，微笑着道："其实那也算不了什么，那些年轻人非但充满了热情，而且全都很忠实，要训练他们并不是件困难的事。"

年轻人永远比较热情忠实，狡黠和阴谋他们根本就不愿去学。

孟星魂也年轻过，他点点头，叹道："要训练那些人的确不难，难的是那忍辱负重的勇气，那远比为人去流血拼命还要难得多。"

易潜龙看着他，忽然用力握他的肩。

他们从此也成为终生的朋友，因为他们不但已互相了解，而且互相敬重。

只有对朋友完全忠实的人，才值得别人敬重。

"能够为朋友忍受屈辱的人，便永远都不会寂寞。"

孟星魂忽又问道："你们是不是已去过飞鹏堡了？"

易潜龙道："当然去过，我训练那些人，为的就是要对付十二飞鹏的。"

孟星魂道："那么你怎会到了这里？"

易潜龙道："因为我已和老伯约定，初五以前，他若有命令给我，我们就在初七的正午，从后山偷袭飞鹏堡，否则我们就立刻连夜赶来这里。"

孟星魂道："你没有接到他的命令？"

易潜龙道："没有，传令的人也已死在律香川手里。"

律香川当然也在旁边听着，听到这里，胃部突然收缩，几乎忍不住要吐。

直到现在，他才知道自己的错误在哪里。

他本不该使老伯精选出的那批人死得太早，本该等他们到了飞鹏堡之后再下手的。

只可惜那时他实在太兴奋、太得意了，已变得有些沉不住气，所以才会造成这种不可原谅的错误。

现在这错误已永远无法弥补。

律香川弯下腰，吐出了一摊苦水。

但还是没有人看他一眼。

他本是个绝顶聪明的天才、不可一世的枭雄，他只差半步，就可达到成功的巅峰。

可是现在他在别人眼里，竟似已变成完全不重要。

竟似已变成一个死人。

易潜龙道："我赶到这里，才知道老伯已有了复仇的计划，而且将每一个细节都安排好了。"

孟星魂道："你今天下午才赶到的？"

易潜龙道："今天下午，老伯计划中最重要的一点，就是时间，所以每一刻时间都要尽力争取，因为我知道时间有时甚至比鲜血更可贵。"

孟星魂道："我明白。"

这一点的确很少有人能比他更明白！

他若没有时间观念，也许已死过无数次。

易潜龙脸上露出自傲之色，微笑着道："这三四十年来，我参与老伯的行动不下两百次，从来也没有耽误过片刻。"

孟星魂又叹息了一声，道："无论谁有了你这样的朋友，都应该觉得很高兴。"

易潜龙紧握他的肩，道："老伯有了你这样的朋友，连我都高兴。"

他接着又道："老伯已算准了律香川必定会到这里来找他，也算准了律香川看到那七星针后，必定会亲自到下面去看看的，因为他这人除了自己外，谁都不相信的。”

孟星魂忍不住冷笑道：“有时他连自己都不太信任。”

易潜龙道：“老伯的计划本是要趁他下去的时候，发动攻势，先歼灭他最基本的部下。”

他笑了笑，又道：“因为他来得必定很匆忙，绝对没有时间集中所有的力量，最多也只不过能将最基本的一批部下带来。”

孟星魂道：“这里的地势你们当然比他熟悉得多，无疑已先占了地利。”

易潜龙道：“而且他最擅长的，本是在暗中放冷箭伤人，但这次情况却完全相反，他绝对没有想到会有人在暗中等着对付他。”

孟星魂道：“所以你们又占了天时！”

易潜龙道：“还有，他的人匆匆赶来，又已在这里守候了很久，必定已有些疲倦，但我们的人却正像初生之虎，猛虎出柙。”

他微笑着又道：“以逸待劳，以暗击明，这一战其实用不着交手，胜负之数已经很明显。”

孟星魂微笑道：“天时、地利、人和，都已被你们占尽了，老伯这计划，实在可以称得上是算无遗策。”

易潜龙道：“但，他却还是有一件事没有算出来。”

孟星魂道：“哦？”

易潜龙道：“他没料到你也会跟着来，而且会到下面去。”

孟星魂苦笑道：“那时候我想错了。”

易潜龙道：“但老伯却明白你的想法，他知道你这次来，是准备跟他同生共死的！”

孟星魂喉头突又哽咽，热泪几乎又忍不住要夺眶而出。

士为知己者死！

一个人就算为老伯这种朋友死，死了又何憾？

易潜龙也仿佛有很多感慨，叹息着道：“老伯也知道你既然在下面，见到了律香川，就绝不会再让他活着上来，就算拼着跟他同归于尽，也绝不会再让他活着上来。”

孟星魂道：“所以……所以你才会下去？”

易潜龙道："因为老伯并不想他死，你更不能死，所以……"

他又拍了拍孟星魂的肩，笑道："以后的事，你总该明白了吧？"

孟星魂点点头。

他虽然点头，却还是不太明白——他不明白老伯为什么还要让律香川活着。

但他并没有说什么，因为他知道老伯做的事，是绝不会错的。

绝不会。

对律香川他已错了一次，绝不会再错第二次。

老伯一直看着他们，听着他们，目中似也有热泪盈眶。

然后他才慢慢地走过来，凝视着他们，缓缓道："我看错过很多人，但却没有看错你们，你们都是我的朋友，我的好朋友……"

他忽然拥住孟星魂的肩，一字一字道："你不但是我的朋友，也是我的儿子……"

孟星魂点点头，嗄声道："我是……我是……"

然后他满眶热泪就已流了下来。

夜更深，星已疏。

所有的人忽然间全都走了，只剩下律香川一个人跪在无边的黑暗中。

他跪在这里，居然没有人睬他，没有人看他一眼。

没有责备，没有辱骂，没有报复。

老伯就这样走了，易潜龙和孟星魂也就这样走了，就让他像野狗般跪在这里。

甚至连那些弓箭手的死尸都已被抬走，却将他留在这里。

这个曾经也是不可一世的人物，现在竟真的已变得如此无足轻重。

风吹在身上，断了的肋骨疼得更剧烈。

律香川忽然也觉得自己就像是条无主的野狗，已被这世界遗弃。

他无论是死是活，都已没有人放在心上。

冷汗在往下流，眼泪是不是也将流下？

律香川擦了擦额上的冷汗，咬着牙，挣扎着站起来。

"无论如何，我还活着，只要活着，就一定还有机会。"

他在心里这样告诉自己，而且，努力使自己相信。

但也不知为了什么，他并没有真的想报复，只觉得很疲倦，很累、很累……

这是不是因为他的勇气已丧失？

是不是因为老伯没有杀他，但却已完全剥夺了他的自尊和勇气？

现在，他只想喝一杯，痛痛快快地喝一杯……

这少年伏在桌上，突然被一阵急促的敲门声惊醒。

他揉揉眼睛，站起来，打开了门。

外面不知何时已开始下雨。

律香川湿淋淋地站在雨里，眼睛里布满了红丝，门已开了很久，他还是痴痴地站在那里，似已忘记进来。

少年看着他，并不惊讶，就像是早已知道他一定会来的。

雨很冷。

六月的雨为什么会如此冷？

少年脱下身上的衣服披在律香川身上。

律香川忽然紧紧地拥抱住他，喃喃道："只有你才是我真正的朋友，只有你。"

少年还是没有说话，也没有任何表情。

他太笨，所以笨得不知该用什么方法表达自己的情感。

所以他只是无言地转过身，将酒摆在桌子上。

律香川终于走进来，坐下。

酒虽是冷的，但喝下肚后，就立刻像火焰般燃烧了起来。

律香川的心也渐渐开始燃烧，忽然用力一拍桌子，大声道："我还是没有死！只要我活着，就迟早总有一天要他们好看……你说是不是？"

少年点点头。

无论律香川说什么，他总是完全同意的。

律香川笑了，大笑道："没有人能击倒我，我迟早还是会站起来的。等到那一天，我绝对不会忘了你，因为只有你才是我的好朋友！"

他似乎想证明给这少年看，所以挣扎着站起来，努力想站得直些。

可是他腰突然弯了下来，全身忽然开始痉挛收缩，就像是突然有柄刀自背后刺入他胃里。

等他抬起头来，脸色已变为死灰。

他咬着牙，瞪着凸起的眼睛，充满了惊讶和恐惧，嗄声道："你……你在酒里下了毒？"

少年点点头。

无论律香川说什么，他还是完全同意。

律香川挣扎着，喘息着，道："你为什么要这样做？为什么？"

少年脸上还是全无表情，还是好像不知该用什么法子表达自己的情感。

他只是淡淡地说道："这种日子我已经过腻了，老伯答应我，让我过过好日子。"

老伯。

果然是老伯！

老伯真正致命的一击，原来在这里等着他。

律香川咬牙道："你……你这畜生，我拿你当朋友，你却出卖了我。"

少年淡淡道："这种事我是跟你学的，你可以出卖老伯，我为什么不能出卖你？"

这一击的力量更大。

律香川似已被打得眼前发黑，连眼前这愚蠢的少年都看不清了。

也许他根本就从未看清楚过这个人。

他怒吼着，想扑过去，捏断这个人的咽喉。

可是他自己已先倒下。

他倒下的时候，满嘴都是苦水。

他终于尝到了被朋友出卖的滋味。

他终于尝到了死的滋味。

死也许并不很痛苦，但被朋友出卖的痛苦，却是任何人都不能忍受的！

连律香川都不能。

天已亮了。

黑夜无论多么长，都总有天亮的时候。

只要你有勇气，有耐心，就一定可以等得到光明。

光明从窗外照进来，椅子就在窗下。

老伯终于又坐回他自己的椅子上。

直到这时，孟星魂才发觉他毕竟还是苍老了很多，而且显得很疲倦。

一种满足和愉快的疲倦。

他伸直双腿，才缓缓长叹一声，道："你一定很奇怪，我为什么不杀律香川？"

孟星魂道："我不奇怪。"

老伯显得很惊讶，道："为什么？"

孟星魂微笑道："因为我知道你一定替他安排了很恰当的下场。"

老伯也笑了，但笑容中却仿佛还是有种说不出的凄凉和辛酸。

律香川就像是他亲手栽成的树木。

没有人愿意将他自己亲手栽成的树砍断的！

孟星魂忽又问道："高老大呢？"

这句话他已憋了很久，终于还是忍不住问了出来。

老伯叹息了一声，道："我并不怪她，她是个很有志气的女人，一心想往上爬，虽然她用的方法错了，但世上又有谁从未做错过事呢？"

孟星魂道："你……你让她走了？"

老伯点点头道："而且我还要将她一心想要的那张地契送给她——以后你无论看到谁在想往上爬，都应该去扶他一把，千万不要从背后去推他。"

孟星魂垂下头，心里充满了感激，也充满了崇敬。

老伯毕竟是老伯。

他也许做错过很多事，但他的伟大之处，还是没有人能及得上。

就在这时，他看到一个年轻人走到门口。

一个充满了热情和活力的年轻人，一举一动都带着无限斗志和力量。

这正是老伯组织中的新血，也正是这社会的新血。

孟星魂看到他，就知道人类永远不会灭亡。

只要人类存在，正义也永远不会灭亡！

老伯看到这年轻人，精神仿佛也振奋了些，微笑道："什么事进来说吧。"

这年轻人没有进来，躬身说道："万鹏王没有死，死的是屠大鹏，他低估了万鹏王，所以，他就死了。"

他的回答简单、中肯而扼要，易潜龙多年的训练显然并没有白费。

孟星魂几乎忍不住想要问："凤凤呢？"

可是他没有问，老伯也没有问。

这个人是否存在都已不重要，已不值得别人关怀。

但孟星魂却忍不住要问老伯："应该怎么样去对付万鹏王？"

万鹏王既然还没有死，他和老伯就迟早还是难免要决一死战。

老伯叹息着，道："他没有死，我也没有死，所以我们只有继续斗下去，就算我们已觉得很厌倦，甚至很恐惧，也绝不能停止。"

孟星魂垂下头，道："我明白。"

一个人走入了江湖，就好像骑上虎背，要想下来实在太困难。

老伯道："就算万鹏王死了，还是有别人会来找我，除非我倒下去，否则这种斗争就永远也不会停止。"

他叹息着，又道："像我这种人，这一生已只能活在永无休止的厌倦和恐惧里，我想去杀别人的时候，也正等着别人来杀我。"

孟星魂也明白。

这一点当然也没有人比他更明白。像这样子活下去，虽然太糟了些，但却还是非活下去不可。

老伯慢慢地接着道："一个人种下的种子若是苦的，自己就得去尝那苦果，我既已错了，就得要付出错误的代价，除了我之外，谁也不能替我去承受。"

他忽然笑了笑，又道："可是你还年轻，只要你有勇气，还是可以改变自己的命运。一个人犯了错误并不可耻，只要他能知错认错，就没有什么值得羞愧的。"

孟星魂忽然抬起头，道："我明白。"

老伯的笑容虽带着些伤感，但已渐渐明朗，一字字道："所以你千万莫要再为任何事烦恼，快放下心事，去找小蝶，快去……”

他站起来，紧拥孟星魂的肩，微笑道：“我要你们为我活下去，好好活下去！快快乐乐地活下去！”

快活林中灯光依旧辉煌。

但高老大的屋子里却还没有燃灯。

她并不是厌恶光亮，而是畏惧——她并不是怕她脸上的皱纹会被照出来，而是怕光明照出她心里的那些丑恶的创伤。

这些创伤久已结成了疤，永远抹不去的疤。

还是有灯光从窗外照进来，照在她手里一张陈旧残皱的纸上！

这就是她不惜一切也要得到的地契。

她推开窗子，园林中一片锦绣，现在这一切总算已完全属于她了。

她终于已从黑暗的沟渠中爬了上去。

她本该已满足。

可是也不知道为了什么，她心里反而觉得很空虚，空虚得要命。

付出了那么惨痛的代价之后，她真正能得到的是什么？

除了虚空和寂寞，还有什么？

孟星魂、叶翔、石群、小何，都已一个个走了，无论是死是活，都已永远不会再回来。

这园林难道真能填补她心里的空虚？这一张纸难道真能安慰她的寂寞？

她突然狂笑，狂笑着将手里的地契撕得粉碎。

门外有人在呼喊：“大姐，快出来，洛阳的大爷已等得快急死了。”

高老大狂笑着，大声道：“你就叫他去死吧——你们全都去死吧，死光了最好。”

门外不再有声音。

每个人都知道，老大不高兴的时候，大家最好莫要惹她。

她关起窗子，将长长的头发散下来，然后又慢慢地将身上衣服全都脱下，就这样赤裸裸地站在黑暗中。

她的腰脊仍然坚挺纤细，她的腿仍然修长笔直，她的胸膛仍然可以埋藏很多很多男人的生命。

可是她自己知道，她自己的生命已剩下不多。

逝去的青春，是永远不会再来了。

“一个人赤裸裸地来，也该赤裸裸地去。”

她又开始狂笑，狂笑着在黑暗中旋舞，突然自妆台的抽屉中取出一樽酒，旋舞着喝了下去。

这是生命的苦酒，也是毒酒。

石群回来的时候，她已倒下，乌黑的头发散落在空白的胸膛上，美丽的金樽仍然在发着光。

可是她的生命却已暗淡无光。

石群跪下来，就在她身旁跪下来，捧起一满把她的头发。

眼泪就流在她的头发上！

她的头发忽然又有了光，晶莹的泪光。

谁说大海无情？

在星光下看来，海水就像缎子般温柔和光滑。

潮已退了。

大海也和人的生命一样，有时浪涛汹涌，有时平淡安静。

孟星魂和小蝶携着手，互相依偎着，凝视着无限温柔的海洋。

他们的心情，也正和这星光下的海水一样。

孩子已睡，这是一天中他们唯一能单独相处、互相依偎的时候。

经过了一天劳累之后，这段时候仿佛显得特别短，可是他们已满足。

完全满足。

因为他们知道，今天过了，还有明天。明天必将更美丽。

无数个明天，正在等着他们去享受。

忽然间，海面上又有一颗灿烂的流星闪过，使得这平静的海洋变得更美丽生动。

孟星魂忽然道：“我做到了，毕竟做到了。”

小蝶偎在他怀里，柔声道：“你做到什么了？”

孟星魂紧拥着她道：“有人说，流星出现的时候，若能及时许个愿，你的愿望就一定能达到。”

小蝶嫣然道：“这是个很古老，也很美丽的传说，只可惜从来没有人真的能做到。”

孟星魂笑道：“但我这次却做到了。”

小蝶眼睛里光彩更明亮，道：“你真的在流星掠过的时候，及时许了个愿？”

孟星魂笑道：“真的。”

小蝶道：“你的愿望是什么？”

孟星魂微笑着，没有回答。

小蝶也没有再问，因为她已明白，他的愿望，也就是她的愿望。

他们的微笑平静而幸福。

流星消逝的时候，光明已在望。

黑暗无论多么长，光明迟早总是会来的。

《流星·蝴蝶·剑》完